D0512472

DOUX-AMER

CLAIRE MARTIN

DOUX-AMER

roman

LE CERCLE DU LIVRE DE FRANCE LTÉE
3300 BOUL. ROSEMONT, MONTRÉAL

LE LANCEMENT DE CETTE COLLECTION
A ÉTÉ RENDU POSSIBLE
GRÂCE À UNE SUBVENTION DU
CONSEIL DES ARTS DU CANADA

Le dessin de la couverture a été réalisé par M. Joffre St-Aubin.

Je les ai bien connus tous les deux. J'ai vu naître leur misérable amour et je l'ai vu mourir. J'ai eu droit aux confidences, aux confessions même. On est allé jusqu'à me demander conseil, et pour que je n'en ignore rien, me voici avec ce manuscrit entre les mains. Ce manuscrit où seuls sont changés les noms, les emplois, les couleurs de cheveux. Je peux à peine croire ce que j'y lis, parfois. Cet étalage ! Elle qui n'avait jamais puisé que juste ce qu'il fallait dans sa vie, qui ne me l'avait racontée qu'à demi-mot. « Tournez-vous, cher, que je change de corsage. » Et puis, voilà qu'elle ne se borne pas à me montrer la peau, mais la chair vive en-dessous, et les nerfs, et les viscères.

Je l'ai aimée durant douze ans. C'est un bail. Et si j'emploie ce passé, c'est que le miséricordieux oubli s'étend sur tout cela. Du moins, il me semble. De pouvoir en parler, je ne dis pas avec détachement, mais d'en parler, d'en voir tout le sordide et aussi le ridicule, aujourd'hui je n'en demande pas plus.

Durant douze ans ! Dix ans, elle me l'a rendu. Oh ! pas mesure pour mesure. Je n'étais pas si exigeant. Les êtres qui peuvent aimer à ma mesure sont rares. Je n'en ai guère rencontré. Un soir, elle a jeté par-dessus bord ce trop long amour. Sans crier gare. D'un coup d'épaule. Et léger encore.

Je sais bien que dix ans d'amour, cela n'est plus très exaltant. On ne se promène plus souvent sur les sommets. Je sais bien qu'il nous arrive à tous d'avoir envie de souffrir, une fois encore, le délire du commencement de l'amour. Mais cette femme si calme, si sensée ! Et aussi, — je ne veux pas être mesquin, mais il faut bien dire ce qui est — cette femme dont j'ai créé la carrière de mes mains, de mon cœur, de ma volonté.

Quel intérêt ai-je eu à cette création ? Je n'ai jamais pu bien démêler tout cela. En tout cas, l'amour ne m'est venu qu'insensiblement et le succès de Gabrielle n'y a été pour rien.

Elle était entrée dans mon bureau un jour d'été chaud et pluvieux. Un de ces jours tout secoués de bourrasques humides, où le plaisir d'être, renouvelé à chaque respiration, court en moi, tangible. Un de ces jours où, sans raisons autres que climatiques, je me sens béni et prédestiné.

Qu'elle ait choisi ce jour-là, j'y vois une manifestation de cette prescience dont il semble qu'elle ait perdu le secret en me quittant.

Elle portait un manteau imperméable sous lequel son parfum léger avait pris de la lourdeur : l'odeur, dans une chambre chaude et fermée, des lilas qu'on a cueillis après la pluie.

Gabrielle était pauvre en ce temps-là. Sa robe me le disait, mais elle disait aussi bien autre chose : l'horreur de la médiocrité, la patience, l'acharnement. C'était une robe tout-aller, sobre et élégante, mais qui accusait de l'usure un peu partout : de fins raccommodages aux coins des poches, du luisant aux coutures et aux coudes. Jusqu'à son premier succès, je ne lui en ai point vu d'autres. Il lui arrivait souvent, avec une orgueilleuse simplicité, d'en vérifier les points faibles, d'en examiner les reprises, leur solidité et la méticulosité du travail, comme s'il se fût agi d'autant d'ornements.

Elle avait sous le bras un gros manuscrit qu'avant de s'asseoir elle posa, d'un geste sans timidité, sur ma table de travail.

— C'est un roman, dit-elle en y appuyant le plat de la main.

La voix était belle. Les mains, grandes, un peu masculines, sans bagues ni alliance.

— Nous allons voir cela, mademoiselle.

Mais ce « nous » l'inquiétait, et ce ne fut que lorsque je me fus engagé à le lire moi-même, et d'un bout à l'autre, qu'elle se leva pour partir.

Ce manuscrit je l'apportai chez moi le soir même. Il était bien mauvais : raide, gêné aux entournures, rempli de lieux communs politico-sociaux, de grands sentiments. Tous les bobards que la jeunesse presse sur son petit cœur semblaient s'y tenir compagnie. Et pourtant, des passages entiers, ici et là, me plaisaient. On aurait dit qu'elle oubliait son propos, et c'était, tout à coup, magnifique. La phrase s'allégeait. Une ironie sous-jacente suintait, sournoisement. Puis, on retombait dans les idées. C'est au sortir d'un de ces bons passages que, machinalement, je me mis à annoter.

J'étais au quart du manuscrit quand on sonna à la porte. C'était Martine, en retard comme d'habitude, ce pourquoi je me répandais toujours en reproches sans fin. Je ne lui en fis pas ce soir-là et lui demandai la permission de terminer le chapitre commencé.

Martine était une fille charmante, assez belle ; pas très intelligente, mais douée de ce sens aigu de la divination qu'ont parfois les femmes. L'irruption de Gabrielle dans ma vie l'alerta tout de suite.

— De qui est-ce ? demanda-t-elle en se penchant par-dessus mon épaule.

— Tu ne connais pas.

Elle eut un petit rire.

— Une nouvelle romancière ?

— Pourquoi ce féminin ?

— Pour rien... comme ça.

Une quinzaine plus tard, quand nous nous retrouvâmes, Gabrielle et moi, de chaque côté de ma table de travail, les marges de son manuscrit étaient remplies.

Je n'aimais pas encore Gabrielle. Pourquoi me suis-je imposé de lui montrer ses erreurs une à une et de lui dire comment les corriger ? Parce qu'elle avait besoin d'argent ? Parce que je sentais confusément que j'allais l'aimer ? Pour ce que j'avais, sous la gaucherie, décelé de talent ? Je crains que tous ces souvenirs lointains ne soient faussés par ce qui s'est passé après. La mémoire, comme le cœur, se laisse abuser et souvent par celui-ci, comme de juste.

Elle prit l'habitude de revenir toutes les semaines, à l'heure du déjeuner, ses feuilles sous le bras. Le mercredi, toujours. Quand je repense à ces quelques mois, cinq environ, je les vois ponctués par ces visites hebdomadaires.

— Le mercredi est mon jour faste, disait-elle l'air sibyllin.

Elle était superstitieuse, à sa façon, de superstitions qu'elle s'était forgées pour elle seule, une sorte de folklore familier. Elle s'arrêtait parfois, comme tirée par la manche.

— Je sens la veine.

Ensemble, nous épluchions le travail refait. Elle discutait avec opiniâtreté pour chaque mot supprimé, chaque virgule déplacée. Cela me plaisait et m'irritait à la fois. Ceci parce que j'étais habitué à plus de docilité de la part des candidats à une première publication ; cela parce que j'y voyais la preuve qu'elle avait enfanté son livre avec passion, amoureuse de chacun de ses efforts. Aussi sacrifiais-je cette heure, chaque semaine, avec joie. Même si je devais travailler toute la soirée pour reprendre le temps perdu.

Non, il ne faut pas conclure que l'aimais déjà. C'est bien dans ma nature de me donner des pensums, de me laisser aller à de subites débauches de dévouement. Cela ne m'a pas empêché, plus tard, l'occasion venue, d'en faire reproche à Gabrielle, d'essayer de m'en faire des armes, et même des motifs à chantage sentimental. Cela aussi est bien dans ma nature.

Après quelques semaines, je m'avisai qu'elle se privait de déjeuner pour passer cette heure à mon bureau. Je pris l'habitude de faire apporter des sandwiches et du café. J'ai toujours eu horreur des sandwiches, et le café était imbuvable avec une décourageante régularité. Si je m'en excusais, elle haussait les épaules. Elle avait ce que j'appellerais d'un mot un peu important, ce stoïcisme dans les petites choses que montrent ceux qui ont un but. Le froid, la chaleur, la pluie, la mauvaise nourriture, l'ennui, la pauvreté, rien de tout cela ne l'atteignait. Ces dînettes avaient quelque chose d'intime, de touchant. Pour un homme et une femme, c'est déjà beaucoup que de manger ensemble, seuls dans une pièce close.

La mauvaise saison revint tôt, cette année-là. Octobre fut pluvieux. La neige se mit à tomber dès novembre. Mes fenêtres donnaient sur la rue. Comme j'y flânais, un jour, après son départ, je la vis qui s'éloignait, pliée sous le vent, pataugeant dans les flaques, toute petite, vue de cette hauteur, dépouillée de cette force tranquille dont elle donnait, de près, l'impression. J'attrapai mon manteau, mon chapeau, courus à l'ascenseur. Arrivé en bas, je me précipitai vers ma voiture. Mais j'eus beau descendre et remonter l'avenue, sillonner les rues adjacentes, je ne la retrouvai pas. Tout le reste du jour, je fus obsédé par le souvenir de cette lointaine silhouette battue par le vent.

— A l'avenir j'irai vous reconduire en voiture, lui dis-je, dès son arrivée, la semaine suivante.

Une autre femme eût pensé : « Tiens ! voilà que ça commence », l'eût laissé deviner, eût souri ou se fût renfrognée, selon le cas. Pas du tout.

— Comme ça, nous pourrons travailler plus longtemps, dit-elle.

Au bout de six mois, le manuscrit était prêt. Pour la publicité, j'avais fait beaucoup plus que je n'avais accoutumé pour un débutant. Depuis des semaines, je l'annonçais partout, j'en parlais à tous et à chacun, et je ne lâchais les revers de veston d'un journaliste rencontré par hasard, qu'après lui avoir longuement fait l'article. Si bien qu'on me donna Gabrielle pour maîtresse bien avant que je ne la prenne, bien avant que je sache vouloir la prendre.

Elle avait passé les dernières journées chez le photographe, à l'institut de beauté, dans les grands magasins. Je lui avais avancé l'argent nécessaire et elle l'avait accepté simplement, l'air de croire que cela se passait toujours ainsi. Je me rappelle que, tous ces derniers jours, elle semblait sans cesse un peu ivre. L'ivresse, je l'avais vue chez tous les écrivains, surtout au premier livre. Mais jamais, je pense, cette ivresse grave, fervente, toute pareille à celle de l'amour.

J'ai sous les yeux un agrandissement de la photo dont je me servis pour la publicité dans les journaux. Gabrielle n'était pas aussi belle. Elle n'avait pas ce sourire provocant, ce visage ouvert. J'étais ravi de cette photo. Nous nous en sommes servis pendant des années. A cause de cela, je n'ai plus rien de la Gabrielle de ce temps-là, de celle que j'ai aimée. Il ne me reste que celle que j'ai voulu exhiber.

Enfin, le grand jour arriva. La presse alertée, les photographes, dédicaces, cocktails. Une journée de triomphe vivement menée. Quant au livre, ce fut un assez joli succès. Immérité, a-t-elle toujours prétendu, et cela me mettait en colère. Je le feuillette souvent. Je m'y retrouve à chaque page. Et pourtant, je n'en ai pas écrit un mot. Je n'ai fait que suggérer.

— Ton livre, disait-elle parfois, avec rancune.

— Tu aurais préféré que je le publie tel qu'il était et qu'il passe inaperçu ?

— J'aurais voulu le faire tel qu'il est, toute seule. Mais j'ai compris. Pour le prochain, je saurai.

Je me souviens de cette sorte de dépit que j'éprouvai à lire son deuxième manuscrit : je ne m'y reconnaissais plus. Et pour cause. Sûre d'elle, maintenant, et sûre de moi aussi, elle ne m'y donna accès que lorsqu'il fut terminé. Mais nous n'en sommes pas encore là.

Je cessai, peu à peu, de voir celle qui m'occupait quand je connus Gabrielle. Martine avait l'habitude de venir passer presque toutes ses soirées chez moi, même quand j'avais du travail. Elle lisait dans son coin sans me déranger ou cédait à l'envie de s'occuper de mon ménage de célibataire. C'est un désir qui devient presque de la concupiscence, même chez les femmes qui ont horreur des travaux ménagers. Elles se mettent à tourner autour de vos tiroirs, elles apportent une boîte de boutons. Dès que je me mis à m'occuper du manuscrit de Gabrielle, la douce Martine devint agressive.

— Tout est donc à refaire dans ce livre-là ? me disait-elle chaque fois que je l'ouvrais.

C'est comme cela que tout a commencé. Excédée, elle partit en claquant la porte, un samedi après-midi. Ne sachant plus que faire de ma soirée, je téléphonai à Gabrielle et l'invitai à dîner. Martine revint quelques jours plus tard, mais ça n'était plus ça. En peu de semaines, je me trouvai libre de consacrer tout mon temps à Gabrielle. Tout ce qu'elle voulait bien en accepter. Disons : tout ce qui n'était pas dévoré par son travail. Car, de cela je suis sûr, elle me donnait tous ses loisirs. Que ces loisirs fussent rares, j'aurais dû le comprendre mieux que quiconque. Mais j'avais l'habitude des oisives, tout au moins des oisives du soir.

Nous en sommes venus à nous voir de plus en plus souvent. Les jours de semaine, j'allais la chercher à son bureau, je l'amenais dîner, puis je la déposais à sa porte. Le samedi et le dimanche, parce qu'elle avait pu écrire dans la journée, nous passions notre soirée ensemble. Au début, nous allions au théâtre ou au concert. Puis, sans trop m'en rendre compte et parce que je commençais à l'aimer et à la désirer, je suppose, je l'entraînais plus volontiers dans quelque boîte de nuit où nous dansions parfois jusqu'à l'aube.

Avec elle, je fus un amoureux maladroit. Un autre eût deviné le bénéfice qu'il y aurait eu à être déjà installé dans son cœur quand son premier livre parut, à être celui avec qui l'on partage l'enivrement du succès, celui avec qui on oublie, même, cet enivrement. Je n'y avais pas pensé. Ce calcul — je dis ce mot sans honte, car le calcul a large place dans le plus sincère des amours — ne me vint pas à l'esprit. Je m'étais mis à l'aimer peu à peu, je ne saurais dire à quel moment, et je fus assez bête pour le lui laisser deviner peu à peu aussi. Je l'ai privée des bouleversements du coup de foudre et j'en ai spolié notre amour à qui il n'a peut-être manqué que ce poids pour n'être pas trouvé trop léger. A moi, rien n'a fait défaut, car j'étais si inconscient de ce qui se passait en moi, que la surprise m'a tenu lieu de coup de foudre. Mais elle, qui savait et qui attendait...

Cela a commencé comme de malhabiles amours d'adolescents : une poignée de main qui s'attarde. une allusion lointaine, des sourires ambigus. Si ambigu que soit le sourire, si attardée que soit la main, cela ne vaudra jamais la lourdeur de deux bras possessifs qui s'abattent sur des épaules qui ploient. Quand, enfin, cela est arrivé, pour elle il n'y eut pas de surprise. Ce n'était plus qu'un geste qu'il n'y avait plus moyen de remettre à plus tard. Combien de temps n'ai-je eu besoin que de sa présence, sans bien me rendre compte que, hors de cette présence, je ne faisais que désirer m'y retrouver ? Tout cela est bien lointain, maintenant, et je ne sais plus bien démêler le pourquoi de mon silence, le moment où ce silence a commencé à me peser, le motif de ma patience à attendre et ce que j'attendais vraiment. La suite des événements a prouvé, je pense, que j'attendais d'elle le geste qui me revenait de droit. Et je ne sais même pas si cet aveu me répugne. Intimidé ? Il me semble bien que non. Je songe, parfois, que les sexes ne sont pas seulement divisés en masculin et féminin, mais en dominant et dominé. Si j'ai été heureux, qu'est-ce que cela fait ?

Un soir, comme nous stoppions devant sa maison, elle me dit, avec une sorte d'irritation dans la voix :

— Mais, montez donc.

Ce disant, elle tendit le bras au-dessus de moi et ouvrit la portière d'un geste prompt.

Je n'oublierai jamais comme le cœur me battait en gravissant l'escalier. La connaissance de mon amour ne s'était que peu imposée à moi jusqu'alors. Si nous avions dû cesser de nous voir avant ce soir-là, je crois que je n'aurais pas réellement souffert. Et voici que cette connaissance s'abattait sur moi comme un poids et que toutes mes expériences anciennes me faisaient défaut. J'aimais, j'étais sans doute aimé, mais je n'étais pas le maître de la situation et je m'angoissais d'avoir à mener l'affaire.

Je n'ai qu'à fermer les yeux... C'est faux. Je n'ai même pas à fermer les yeux, je n'ai même pas à y penser intensément, pour revoir les deux jambes gainées de soie pâle, leur flexion à chaque marche, la jupe noire du tailleur, le dos droit. Je revois la paisible main dégantée, et la clef, et la serrure. Et moi, attendant en silence près de la porte.

C'est le souvenir le plus aigu de toute ma vie. Cette attente qui me semblait interminable. Ce trouble qui montait. Le désir. Mon affolement. Et cette calme fille à mon côté.

Dans le petit boudoir, elle enleva son chapeau, puis elle se tint, droite, devant moi. Je n'eus qu'à la prendre dans mes bras. Je ne les desserrai que lorsque je fus sûr d'avoir compris tout ce qu'elle acceptait de moi.

De cette première étreinte, je voudrais me souvenir de chaque seconde, de chaque geste. Mais je me souviens surtout d'une sorte de démence grondante comme la colère et pourtant pleine de douceur, de la surprise de son corps lisse et dur que je n'avais pas imaginé ainsi, et de son silence que je cherchai à vaincre comme on arrache, de vive force, un consentement. Un à un, j'essayai de lui extirper les mots qui enchaînent et ceux qui bouleversent, ceux qui vous dénudent et ceux qui vous acheminent vers les gouffres épuisés du néant. Elle ne s'y laissa entraîner que lentement et bien plus, je pense, pour ma griserie que pour la sienne, comme un échange.

Lorsque, tard dans la nuit, je la quittai, j'étais si confondu d'amour et de reconnaissance que je m'appuyai un long moment, avant de descendre, à la rampe de l'escalier. J'écoutais, dans ma poitrine, un battement allègre et pressé où le rythme de l'amour semblait se continuer. N'eût été la crainte du ridicule, j'aurais fait, en sortant, quelque chose d'enfantin. J'eusse laissé là ma voiture et pris un taxi, tant étaient violentes l'envie de me blottir dans mon bonheur et la peur de dissiper, par des mouvements précis et nécessaires, ma béatitude.

Arrivé chez moi, j'allai me regarder dans une glace. Il me semblait que je trouverais sur mon visage la marque de cet amour, le premier, venu pourtant après tant d'autres, et que je n'allais plus me reconnaître. J'avais envie de danser et je crois bien que je m'y laissai un peu aller. Sans presque me regarder faire. Quand on aime, et qu'on a joui de l'amour, quand on a pris cet amour avec soi, non pas pour un court voyage, mais pour un grand départ, peut-on, tout de suite après, s'installer devant une tisane en lisant son journal ? Peut-être. Où est l'irréfrénable ? Quand commence-t-on à se donner la comédie, à se danser le ballet ? Ce délire où j'ai glissé corps et âme, et pour si longtemps, m'y suis-je précipité ou y suis-je tombé ? Ou bien avais-je été poussé là où je voulais m'enliser, maintenant ?

Je me dévêtis, enfin. J'avais apporté avec moi l'odeur de Gabrielle, comme un butin caché à même la peau. Son parfum de lilas altéré par l'amour, ma mémoire, au moindre appel, le retrouve bien plus facilement que le son de sa voix ou la couleur de ses yeux. Blotti sous la couverture, cette odeur me tenait lieu de la présence désirée et j'apprenais déjà, à chaque mouvement que je faisais, à la savourer et à m'en contenter. J'ai rarement eu Gabrielle près de moi à cette heure où, le désir vous ayant déserté, il vous reste quand même ces biens précieux, infinis : la tendresse, la douceur, un cœur dont les battements se modifient et vous apaisent, le sommeil amical.

Je m'endormis quand même, mais d'un sommeil léger, suffisant pour me laisser croire qu'elle était avec moi, mais pas assez profond pour que je perde conscience de la tempête qui s'était abattue sur moi. Ce fut l'illusion de cette présence mêlée à cette certitude qui m'éveillèrent au matin.

Je n'en revenais pas d'être seul. Je lui en voulais de ne m'avoir pas gardé. Ces réveils à deux dont, pareil à tous les amants, je rêvais comme d'un sommet à atteindre, le dernier palier de la possession, ces réveils dont le cœur et le corps sont souvent secrètement déçus, j'ai vite compris que Gabrielle les craignait. Ce vide du cerveau, cet effarant « plus rien à dire », cette appréhension de l'autre, avec ses mains trop chaudes et sa bouche fanée, lui semblaient un impôt trop lourd à payer. Elle m'a montré à rester sur ma faim et à en être heureux.

Tout le matin, je fus agité d'une sorte de trépidation intérieure qui, pour un autre, eût semblé, je suppose, hors de proportion avec l'événement. Mais je ne suis pas, je le vois bien, comme les autres. Je n'ai jamais rien pu comprendre à ceux qui font l'amour, à droite et à gauche, comme on s'alimente, sans éprouver plus de tendresse pour la femme que pour le maître d'hôtel. Par ces quelques gestes si faciles à faire puis à oublier, je venais d'engager toute ma vie.

Cette sorte de folie, j'aurais voulu la savoir partagée, car s'il est bon d'être fou, la folie de l'autre vous est encore bien plus précieuse. Comme j'avais besoin d'être rassuré, comme j'avais peur d'être seul à subir le maléfice et l'envoûtement ! Je n'osais déranger Gabrielle à son travail. Elle m'avait souvent demandé de m'en abstenir. J'ai même été, pendant un certain temps, vaguement jaloux, croyant qu'elle avait quelque amoureux parmi ses compagnons de bureau. Il me suffit de les connaître pour être rassuré : des larves, que la nouvelle activité de leur camarade faisait bien rire.

A midi, je décidai d'aller l'attendre à la sortie. Je n'y allais jamais que le soir. Elle sembla heureuse de me voir, mais elle n'avait de temps que pour courir avaler un sandwich. Puis, il fallut aller à la librairie, à la papeterie, pour revenir au bureau, toujours courant, dans le bruit et la foule. Tout ce que j'étais venu lui dire s'effilochait. Le tapage me rentrait les mots dans la gorge. En me quittant, elle se déganta pour me serrer la main, et ce tout petit geste me bouleversa. C'était comme si elle avait voulu multiplier le peu qu'elle pouvait me donner. Puis, elle me dit doucement : « Ne négligez pas votre travail, chéri. » Et elle disparut dans l'ombre de l'escalier. C'est là qu'elle me dit « vous » pour la dernière fois.

Ne pas négliger mon travail. J'attendis beaucoup pour suivre le conseil. Je passai l'après-midi dans le fauteuil des visiteurs et je n'eus pas une seconde de remords à voir ma chaise vide, les papiers sur ma table, la liste des gens qui m'avaient demandé au téléphone. Je n'étais occupé qu'à faire le tour de mon émoi. Il me semblait que je n'y parviendrais jamais tant cet émoi était aigu et profond.

Il y a quelque chose de poignant à ce qu'une partie de son bonheur soit déjà dans le passé. On était là, soudés l'un à l'autre, sans penser que l'irremplaçable nous échappait, que ces moments ne nous seraient jamais rendus, que, quoi qu'on fasse, quoi qu'on dise, ils ne seraient ni aussi miraculeux, ni aussi exceptionnels qu'on les aurait voulus, et qu'ils seront à jamais inchangeables. Tout de suite après, on est réduit à ne pouvoir plus qu'y rêver.

Ma secrétaire (ce n'était pas encore Barbara à cette

époque, mais une petite vieille fille d'une silencieuse indiscrétion, ce qui est une façon fort redoutable de l'être) entrait sur le bout des pieds, me faisait signer quelques lettres, sortait, revenait. Puis, voulant en avoir le cœur net, elle finit par me demander si je voulais le dossier de notre collection populaire qui était notre principale affaire du moment. Après mon refus irrité, elle me jeta un long regard entendu, ferma la porte qui séparait son bureau du mien et je pus tranquillement revenir à mon rêve.

Les yeux fermés, j'essayais de ressusciter ce jeune mort, et j'essayais de le ressusciter orné de parures qu'il n'avait pas portées. Cette manie, je l'ai toujours eue. Je fais des retouches. Si j'avais dit ceci ou cela. J'éprouve un regret poignant à ne pas l'avoir dit. J'entreprends ainsi de longues conversations imaginaires. Puis, des propos imaginaires naissent des faits fictifs. Je finis par ne plus très bien distinguer entre le fabriqué et le réel et par m'enivrer autant de l'un que de l'autre. Il arrive que je laisse inexplorés de larges pans du souvenir qui m'occupe et que, plus tard, ma mémoire ne puisse les retrouver quand ils me seraient le plus nécessaires. Car il y a des moments — l'amour a ses disettes — où chaque miette vous est nécessaire. Ceux de l'abandon, oui, mais plus encore ceux de l'absence.

Cet amour qui m'a tout donné, y compris les affres de l'absence...

A peine six semaines plus tard, Gabrielle dut quitter la ville pour aller dans sa famille (elle était née dans un village fort éloigné où les siens vivaient toujours). J'étais venu la chercher, un samedi, pour l'emmener dîner. Elle flânait, n'en finissant plus de ranger ses papiers, de changer d'une épaule à l'autre l'œillet soufre que je lui avais apporté. Je me disais : « Mais, nous ne sortirons donc jamais d'ici. » Pourtant, d'habitude, c'était moi qui retardais tous les départs. J'avais la main sur la poignée de la porte quand le téléphone sonna. Je sus, avant qu'elle n'eût décroché, que c'était là ce que j'avais voulu fuir. Je me rappelle que j'essayai de l'en empêcher par ce raisonnement spécieux : « Si nous étions partis deux minutes plus tôt, tu n'aurais pas pu répondre. Viens donc. » Mais elle n'avait pas comme moi ce mal du pressentiment qui ne sert, en somme, qu'à allonger le malheur. Dès ses premiers mots, je compris que j'avais eu toutes les raisons de craindre. Je n'aurais même pas eu besoin d'entendre. Il m'aurait suffi de ce regard qu'elle me donna. Ce regard bien trop bon qu'ont les gens qui s'apprêtent à vous faire souffrir malgré eux.

Nous dînâmes presque en silence. Après quelques moments d'abattement, elle avait retrouvé une partie de sa gaieté, sans que je pusse, malgré tous mes efforts, la rejoindre. Je m'irritais qu'elle parle de profiter de nos derniers moments. Il n'y a pas de derniers moments. On est brusquement arrachés l'un de l'autre dès que l'on sait devoir être séparés. Et les derniers moments, on les a vécus sans le savoir.

De retour chez elle, je l'étreignis sans bonheur et, au moment du plaisir, je me sentis honteux de ce que j'offrais à mon corps, alors que mon cœur était si dépossédé. Il n'y avait pas que la séparation qui me désespérait. Certes, j'étais terrifié de voir un si nouveau bonheur m'échapper si vite, et pour combien de temps ? Je souffrais dans mon cœur, et dans ma chair qui se révoltait à l'avance du long jeûne qui m'attendait. Mais j'étais aussi envahi, étouffé — j'avais beau être sûr de son amour — par l'appréhension du « jamais plus ». Ce n'était pas tellement ridicule. Mon pressentiment ne me trompait qu'en partie. C'est ce désespoir que je n'ai plus jamais ressenti. Lors des autres absences de Gabrielle — et la suivante ne vint que des années plus tard — je ne souffris que calmement, sans éclat et avec patience. De cela aussi, il y a de quoi se désespérer.

Je l'avais persuadée de ne partir que le lendemain après-midi. Toujours l'allongement du malheur. Elle vint déjeuner chez moi, avec ses sacs de voyage. Chaque minute me fut pénible parce que, la contrainte à quoi je m'évertuais ne me laissant de force pour rien d'autre, je me figeais dans un silence qui avait toutes les apparences de la bouderie. L'attitude qu'elle avait choisie — la gaieté, le courage — ne trouvait en moi pas de réponse. Si bien que je vécus ces dernières heures non seulement dans la souffrance, mais dans une sorte d'ennui profond, avec le seul désir d'en finir, d'être seul, de pouvoir enfin souffrir tranquille.

Le train partait à quatre heures. Elle attendit qu'il fût trois heures et demie pour se lever. De sorte qu'elle dut faire très vite. Un baiser bâclé et, deux minutes après, nous étions dans la voiture. Puis, ce fut la gare. Comme toutes les gares. Et le départ, comme tous les départs. Y compris ceux du cinéma qui remportent toujours, et je comprends pourquoi, leur petit succès de larmes.

Bien des mois plus tard, nous devions prendre l'habitude de blaguer doucement à ce sujet (rien de plus rassurant qu'un ancien malheur : on a le sentiment d'avoir payé pour un moment). Mais il ne s'agissait toujours que des dernières heures passées ensemble. Je ne lui parlais jamais que vaguement du désarroi où elle m'avait laissé. Je ne craignais pas que cette révélation lui donne barre sur moi. J'avais honte. Quand on souffre sans témoin, on se laisse souvent aller à le faire plus que la décence ne permet de le raconter. Elle m'avait dit : « Tu vas reprendre ta vie de tous les jours. Moi, je serai complètement dépaysée. » En ces sortes de choses, on veut toujours être le plus mal partagé. Ma vie de tous les jours. Si l'on veut, oui. Mais privée de son pourquoi, de son orient, de son oxygène.

Je partis de la gare à pied, quitte à venir rechercher ma voiture. Je me figurais que la marche me ferait du bien. C'est une notion livresque. Rien ne soulage de l'absence : ni l'effort, ni le sommeil, ni la musique, ni l'alcool. La souffrance est patiente. Tandis que vous courez l'oublier, elle refait ses forces en vue de votre retour. Dès que vous émergez d'où vous avez cherché l'oubli, elle fond sur vous avec une cruauté accrue.

Il faisait — pourquoi pas ? — un soleil gai. De petits nuages duveteux le cachaient, de minute en minute, pour quelques secondes. A chaque obscurcissement, le vent se levait en bourrasques, les moineaux se mettaient à piailler, et ma peine, un instant allégée, roulait sur moi de nouveau. Mais chaque fois plus profonde et me laissant chaque fois plus écorché, sur une sorte de pulsation, de rythme battu par ce vent, par la poussière qu'il me jetait au visage, par les cris des oiseaux, et par ce petit soleil rigoleur.

Je marchais et le temps ne passait pas. Elle ne m'avait quitté que depuis vingt minutes que j'étais déjà rendu loin. J'avais essayé de la retenir le plus longtemps possible, de sorte qu'elle était partie au moment le plus pénible de la journée. Celui où, même sans cause, on se sent cafardeux. Je n'oublierai jamais ce pauvre bougre, ce pauvre bougre qui était moi, qu'en cette fin d'après-midi, je regardais errer, désolé, dans les rues possiéreuses, pour entrer chez lui, le soir tombant, et continuer à errer de l'antichambre, où elle avait oublié une écharpe bleue, à la cuisine, où la vaisselle du déjeuner à deux traînait sur l'évier ; du living-room, où seul un coussin creusé par un coude semblait subsister, à la chambre. A errer jusqu'à ce qu'il ne lui reste plus qu'à se coucher sur ce lit où je ne l'avais encore jamais aimée.

Gabrielle n'était pas de l'espèce épistolière. L'amour ne la poussait pas à se répandre en d'interminables lettres comme j'en avais déjà reçu, et la plupart du temps de femmes qui, demeurant à deux pas de chez moi, auraient facilement pu venir déverser le trop-plein de leur cœur à domicile. Avec plus de satisfaction, j'aime à le croire. Mais, il ne faut pas compter pour rien le féminin bonheur de se compromettre, de se livrer pieds et poings liés, de prouver sa confiance en offrant des armes, et l'orgueil de montrer qu'on est sûr de ne pouvoir aimer qu'à bon escient. Je pense que Gabrielle ignorait cette sorte de bonheur. Absente, elle écrivait peu. Je reçus d'abord un télégramme : « Bien arrivée. Lettre suit. Baisers. » Lettre ne suivit pas très vite. Bien sûr, elle arrivait dans une maison où il y avait un malade, tout le monde était sur les dents, la poste était éloignée. J'appris tout cela dans sa première lettre après plus d'une semaine d'attente. Quand je l'eus dans les mains, je ne me plaignis plus de rien. Et puis, cette attente m'avait empêché de trop penser à tout ce qui me manquait. Je ne rêvais que du facteur.

Quand il apparut que cette absence se prolongerait, je décidai d'aller passer un dimanche avec elle. Ce fut bien compliqué. Je ne pouvais pas aller chez elle pour toutes sortes de raisons, dont la meilleure semblait qu'elle ne voulait pas que sa famille apprenne mon existence. Le village comptait bien une ou deux auberges, mais qu'elle vînt m'y rejoindre eût, dans ce trou de province, revêtu un caractère d'étalage qui me déplaisait. A la fin, il fut arrangé que j'irais chez une de ses amies et que nous passerions la journée ensemble.

Je me mis à attendre et à compter les jours. Je me mis à rêver sur chaque phrase que je lui dirais. N'eût été la privation d'elle qui me harcelait, privation bien plus durement ressentie depuis que je savais que j'allais la revoir, j'aurais été heureux. Un matin, en me levant, je pus dire « après-demain ». Cette borne avait un nom précis dans la langue, un nom fait de brièveté, d'atteinte, de possibilité. Puis, je pensai tout de suite : « Dans deux jours, à cette heure-ci, je ne serai pas encore avec elle, mais dans trois je n'y serai déjà plus. » Je n'eus plus qu'une joie sans appui, qu'une hâte mêlée d'appréhension.

Je pris, le samedi, le même train qui avait emporté Gabrielle, celui de quatre heures. Jamais le temps ne me fut plus difficile à tuer. J'eus beau essayer de lire, faire durer le dîner, fumer jusqu'au malaise, me coucher tôt, prendre un soporifique, il me semblait que je vivais des moments empruntés à l'éternité.

A onze heures, le matin, je descendis à la petite gare où elle m'attendait, où ses premiers mots, accompagnés d'une main tendue, mais pour me tenir éloigné, furent : « Ne m'embrasse pas, je t'en prie. » Je me moquais bien de l'embrasser ou non. Elle était là. Le cocon dont la soie s'ouvre d'un coup ne laisse pas l'insecte plus ivre, plus suffoqué, plus délirant que je n'étais.

La distance entre la gare et la maison de son amie — je voulus prendre des chemins de traverse pour éviter les regards de derrière les rideaux — était assez longue. Nous la parcourûmes à pied : ce serait là nos seuls moments de solitude, avec ceux que nous passerions à refaire ce chemin dans l'autre sens, le soir. Ce fut elle qui demanda à marcher. Sa retenue me blessait souvent, mais aussi elle donnait un prix infini à tant de petites choses qu'autrement je n'aurais pas isolées.

Peu propice aux aveux, un soleil aveuglant nous traquait sans discrétion. Et pourtant, nous nous en fîmes, avec de graves visages d'enfants pardonnés de leur malédiction. Nous nous tenions par la main, les ongles accrochés à la peau de l'autre, comme si notre inassouvissement eût pu se guérir par ces meurtrissures. Puis, je voulus lui raconter comment je passais les journées sans elle et combien j'y avais de peine, mais elle m'interrompit tout de suite.

— Crois-tu que je ne sais pas ce que c'est ?

Elle avait tourné vers moi, comme on exhibe des preuves, un visage en désordre où les coins de la bouche, abaissés, tremblaient et où les yeux luttaient pour rester secs. Un visage que je ne lui revis qu'une seule autre fois.

Ce fut le mari de son amie qui vint nous ouvrir : un assez bel homme, les cheveux prématurément blanchis, avec quelque chose d'anglais dans la tenue, dans la façon de s'habiller et dans ce que j'appellerais sa froideur cordiale. Il se dépensait en amabilités convenablement freinées qui ne vous atteignaient pas et qui n'étaient d'ailleurs pas destinées à vous atteindre. Il nous débarrassa promptement, nous fit passer dans un petit salon et nous offrit tout de suite à boire. Voilà un garçon discret, pensai-je, qui veut nous faire cadeau de cinq minutes de solitude, et je m'empressai d'accepter. Pas du tout ! Les bouteilles et les verres étaient déjà tout préparés sur une petite table, et je me retrouvai avec un whisky à la main, à onze heures et demie le matin, sans avoir été dédommagé du plus furtif des baisers. Il en fut ainsi toute la journée.

Il m'avait déjà entrepris sur la politique internationale, la question du pétrole dans le monde, il portait, déjà, une vaste étiquette réactionnaire, et je pataugeais gauchement, pris à brûle-pourpoint entre mes idées et la politesse, quand Léonie vint nous rejoindre. Ceci me fit tout de suite comprendre cela. Il portait le résultat de dix années de mariage avec Léonie comme on porte une signature, copyright dans tous les pays, y compris, je présume, l'U.R.S.S. Elle était encore plus « tweedy » que lui, avec, en sus, ce terrifiant despotisme féminin qui s'attache à tout détail, le traque, le pourchasse, jusqu'à ce qu'il ait réussi à en faire toute une histoire.

Le whisky bu, nous nous mîmes à table. Cuisine à l'eau. Je l'aurais parié. Il n'y avait qu'à regarder Léonie pour comprendre qu'elle était étrangère à tous les plaisirs humains. Tous. Qu'elle était de ces dévotes qui, si elles pouvaient refaire l'œuvre de leur Dieu, la referaient tout autrement. A peine étions-nous assis qu'elle entreprit Gabrielle au sujet de son livre. A l'entendre, tout ce qui s'y rapportait à l'amour, et surtout à ses manifestations physiques, aurait pu être avantageusement retranché.

— Il est suffisant, il me semble, que nous ayons à subir ça, dit-elle en pinçant des narines offusquées par cette allusion nauséabonde.

Gabrielle souriait et ne disait rien. Le mari, qui prenait subitement allure de tortionnaire lubrique, crut devoir élever une légère protestation, mais il fut rabroué d'un « Tu n'y connais rien », suivi d'un « Naturellement, vous autres, les hommes », qui le cantonna, incontinent, si j'ose dire, parmi les libertins de ce monde. Il en prit une roseur aux oreilles qui lui dura jusqu'à la fin du repas.

Comment Gabrielle pouvait-elle être l'amie de ces gens-là ? Je tournai vers elle un regard sans doute si perplexe qu'elle profita de ce que Léonie était toute à la laborieuse déglution de son bœuf bouilli pour me dire :

— Vous savez, Léonie et moi sommes amies d'enfance. Nos familles étaient liées.

Cette explication, qui excluait tout caractère d'élection à cette amitié, me soulagea. Elle me força aussi à remarquer que, depuis que nous avions franchi ce seuil revêche, nous avions cessé de nous tutoyer sans même nous en apercevoir. Pourtant, ni l'un ni l'autre n'avait l'air de se poser de questions sur les liens qui nous unissaient Gabrielle et moi. J'ai l'impression qu'ils s'abstenaient d'y penser, satisfaits de pouvoir croire que j'étais là pour affaires et que le désordre où était plongée la famille de Gabrielle constituait un motif suffisant de ne m'y pas recevoir.

L'après-midi me fut secrètement égayé par l'aveu que me fit le mari des influences heureuses que sa femme avait exercées sur ses opinions.

— Léonie est très intelligente. Elle m'a indiqué où se trouve la Vérité. (Je sentais la majuscule dans son intonation.) Avant de l'épouser, j'aimais la musique moderne et la peinture...

Une arabesque du doigt dans l'air situa cette peinture parmi les audaces d'une époque révolue. Aux murs, ce que Gabrielle appelle de la peinture au pinceau à trois poils, témoignait de sa conversion. Il rêva un long moment sur ses erreurs passées, l'air de n'en pas revenir. Puis, contrit :

— Je lisais des poètes...

...qu'un geste complémentaire qualifia, je suppose, de farfelus.

Il nous fit, ensuite un long discours sur les prénoms en général et sur celui de sa femme en particulier.

« What's in a name ? » répétait-il, aussi satisfait de sa citation que s'il eût été le premier à s'en servir, pendant que Léonie, poussée par un esprit de contradiction qui devait être vraiment infernal, toutes griffes rentrées, pavoisait en chérubin.

Puis, tout retomba dans le morne. Si bien qu'au crépuscule, nous fûmes heureux, Gabrielle et moi, de reprendre le chemin de la gare. Il ne nous restait qu'une demi-heure, mais, au moins, serions-nous seuls.

Sur le chemin du retour, Gabrielle fut irrésistible dans son imitation de Léonie. Elle pinçait la bouche, faisait saillir les tendons du cou, avec une joyeuse méchanceté. Puis, notre rire tarit peu à peu. Les dernières minutes furent silencieuses. Le train entra en gare. Elle me serra la main, fit avec ses lèvres un mouvement de baiser et me fut arrachée de nouveau.

J'ai connu des amants qui, vivant éloignés, allaient bravement, toute la durée de leur amour, de séparation en séparation, jusqu'à la dernière, leurs retrouvailles empoisonnées dès la première minute par l'approche du départ, l'heure du train, la fin du jour, supportant leur amour comme un chagrin d'amour, consumés d'attente, affligés, si je puis dire, de joies courtes et espacées. Leur sort m'a toujours semblé pathétique. J'enviai, en ces moments où je le subissais ce sort, ceux qui ne donnent et prennent que le corps. Mais, au fond, ils sont plus démunis que je n'étais. Il n'y a que l'amour pour fleurir les parois du gouffre.

Retour douloureux dans le train bondé, avec cette lourdeur obstinée et secrète de l'amour sans récompense. Et pourtant, je n'aurais pas donné cette journée de miettes pour un empire. L'amour ne fait pas la différence entre les miettes et les joyaux. Il accueille tout d'un cœur inassouvi.

Quelques semaines plus tard, Gabrielle revint vêtue de noir, l'œil sec, la bouche mauvaise. Elle quitta dès le lendemain ce deuil sans raison, disait-elle, et se rejeta dans le travail et dans l'amour avec une frénésie que je ne lui connaissais pas, dont je souffrais et dont je bénéficiais à la fois.

La mort des êtres qu'on devrait aimer et qu'on n'aime pas, a quelque chose d'effrayant, de désespérant. Il y avait telle chose qui aurait pu, qui aurait dû exister et, maintenant, c'est fini. Il n'y a plus la plus petite chance qu'elle vienne au jour. Gabrielle avait été lésée du plus normal des amours. Bien sûr, elle s'en était passée plus de trente ans et, se fût-il offert avant la fin, elle l'eût refusé, car elle ne le pouvait partager. Les premiers jours, elle en parlait sans cesse, avec des mots amers et rancuniers. Sa mémoire fut soudain assiégée par tous les pénibles souvenirs de son enfance malheureuse. Elle se mit à les dénombrer obstinément et commença, du coup, un autre roman qui, par ce qu'elle m'en disait, m'inquiétait beaucoup. Après quelques jours, le bon sens lui revint et elle l'abandonna pour reprendre celui qu'elle avait déjà commencé.

— J'étais en train de récrire «Les Deux Orphelines», disait-elle en riant.

Mais elle s'y remit, quelques années plus tard et, apaisée, en fit ce livre d'un humour si acerbe, d'une vérité si cruelle, qu'il obtint surtout un succès de scandale.

Nous nous étions retrouvés avec une passion exacerbée qui se traduisait par la possession, bien sûr, mais aussi, et c'est la part la plus émouvante de mes souvenirs, par le besoin facile de se voir, de se parler, de se regarder vivre. Je fus admis, de plus en plus souvent, à passer mes soirées auprès d'elle. Je lisais dans le fauteuil, ma lecture accompagnée du bruit intermittent de la machine à écrire, du son de sa voix qui relisait en sourdine le paragraphe terminé ou qui jurait tout bas entre les dents. Nous entrions doucement dans la bienheureuse habitude.

Charme de l'habitude qui m'empêchera toujours de comprendre ceux qui ne dépensent jamais trop d'eux-mêmes pour faire leur siège, mais qui, la place prise, ne la traversent qu'en courant. Comme il m'est facile de retrouver le climat, l'odeur même, de ces sentimentales soirées d'automne où, le travail terminé, Gabrielle m'offrait un corps que je savais tout de suite comment réduire au bonheur, dont j'avais appris les goûts secrets, comme elle avait appris à me dispenser une tendresse dans l'amour qui ne lui était pas naturelle.

Son deuxième roman avançait vite. Dès le lendemain de la publication du premier, alors que je voulais l'entraîner au restaurant, elle avait passé la soirée chez elle à écrire. Plus tard, devenue vraiment connue, fêtée, invitée partout, elle a toujours fait passer le travail avant le plaisir.

Il en était de même pour l'amour. Ai-je été assez dérouté, au début de notre liaison, de la voir le ranger au second rang. Et puis, je m'y suis fait. J'ai compris qu'il n'en allait pas pour elle comme pour les autres qui, non seulement ne font rien mais prétendent vous empêcher de travailler au nom de l'amour. Et pourtant, elle n'était pas froide. Elle avait même des sens assez étonnants. Des sens vifs, rapidement comblés. Cette facilité, là où tant d'autres femmes ne rencontrent qu'inhibitions et infirmité, lui semblait toute naturelle. Si naturelle qu'elle la plaçait parmi les biens ordinaires de la vie. Ceux dont l'importance, bien sûr, vient après le travail. Combien de fois l'ai-je vue sauter du lit, enfiler robe de chambre et pantoufles et courir à ses papiers. J'aurais aimé flâner doucement en l'écoutant me dire ce que l'amour suscitait en elle. Cela elle l'écrivait. Et je ne le lisais que peu de temps avant les autres.

Au début, je la trouvais si différente de mes anciennes maîtresses, qu'elle m'irritait bien un peu. Je l'aurais voulue plus semblable à celles qui, dans ma vie amoureuse, m'avaient tellement exaspéré. Je l'aurais voulue indiscrète, envahissante, dépendante, chichiteuse. J'aurais voulu qu'elle pleurniche, qu'elle s'accroche, les soirs où j'avais à faire. Mais elle avait à faire bien plus que moi, et ces soirs-là passaient inaperçus.

Quinze mois après la publication de son premier livre, un soir, vers dix heures, elle repoussa sa chaise, tira son papier du cylindre de la machine à écrire, et me dit en bâillant :

— Voilà, j'ai terminé. Il ne te reste plus qu'à débusquer les petites bêtes.

Je me levai pour l'embrasser, puis je voulus aller chercher à boire pour célébrer l'événement. Quand je revins de la cuisine avec les verres, elle dormait profondément dans mon fauteuil, son visage pâli tourné vers l'épaule, les deux mains crispées sur son ventre, comme une jeune mère qui vient d'expulser son fruit et qui, sa tâche terminée, s'est endormie. Elle grogna quelques mots inintelligibles pendant que je la transportais à son lit où elle se tourna tout de suite vers le mur, séparée de moi et de son travail par tout le refus, par toute l'épaisseur du sommeil.

Revoir un manuscrit l'horripilait et j'ai toujours fait ce travail à sa place. Il me fallait, et ce fut chaque fois aussi difficile, oublier que j'aimais, chasser toute indulgence, et surtout ne pas être rebuté par cette dureté qui lui était naturelle, qu'on n'aurait pu adoucir sans dommage pour l'œuvre, qui m'aurait plu chez d'autres, mais qui, chez elle, m'atteignait comme si elle m'était destinée. Quelle disparité entre nous, Gabrielle, mais comme tu m'étais précieuse par cette disparité même.

Pendant que je faisais cet épluchage, j'obtins qu'elle se repose un peu. Pour elle, se reposer, c'était lire et surtout relire. A chaque période de repos, tout ce qu'ellé appelait « le vieux fonds de ma bibliothèque » y passait. Elle s'arrêtait pour discuter ou marmonnait pour elle seule. Propre jusqu'à la manie, elle ne manquait jamais de s'interrompre pour fulminer contre les personnages mal lavés. « Encore un qui sent mauvais », grondait-elle. Et elle ajoutait : « Tous ces romanciers, Mauriac, Bernanos, dont les héros transpirent profusément sans avoir droit, après toutes ces suées, à un bain savonneux, me feront mourir de dégoût. » Ce qui ne l'empêchait pas de continuer sa lecture avec ravissement. « J'ai toujours aimé Maurois, disait-elle souvent. Rien que des gens propres, l'haleine fraîche, les ongles nets. »

Parfois en arrivant chez elle, je ne voyais ni livre commencé, ni papiers, ni machine à écrire. Ces soirs-là étaient voués à une fureur manuelle qui s'abattait sur elle comme une maladie. Dès l'escalier, j'entendais le ronron de l'aspirateur ou celui de la machine à coudre. Je pénétrais précautionneusement dans cet intérieur saccagé, ne sachant où me mettre, essayant d'aider, et ne restant là que pour la forcer à manger au moment où je la voyais obstinée et pâlie. Ensuite, je l'aidais à tout remettre en place, pendant qu'elle se rassurait sur l'efficacité de ses travaux.

— Ce qui est fait est fait.

Elle était habile. Elle était tenace quoi qu'il en parût. Si elle abandonnait facilement un travail en cours, elle finissait toujours par le terminer, et quand je m'émerveillais d'un mur repeint ou d'un corsage vivement coupé et bâti, elle disait vaniteusement :

— De l'importance d'avoir été pauvre.

Cet emportement, qui l'avait poussée vers les chapeaux, les robes, les parfums, lors de la publication de son premier livre, dura peu. L'indispensable acquis, elle continua sa même vie. Pourtant, son livre se vendait bien et, peu de mois après, l'héritage de son père lui assurait un petit revenu. Ce ne fut que des années plus tard qu'elle quitta ce triste emploi dont elle avait chichement vécu jusque-là. Je l'avais crue un peu avare. Au fond, elle ne voulait rien changer à sa façon de vivre où la place du travail était si bien définie. Modifier ses routines, disposer des longs loisirs qui engendrent la distraction, écrire autrement qu'avec, aux épaules, la courbature du jour, l'ivresse de la fatigue qui était son climat habituel, l'effrayait.

Elle habitait alors un minuscule appartement à quoi je ne pus jamais m'habituer. Elle prétendait qu'elle était accoutumée d'écrire là et que le temps de se faire à un autre endroit serait du temps perdu pour le travail.

Une seule abondance la tentait vraiment. Celle des beaux livres. Je lui en offrais souvent. Ce sont eux qui ont obtenu ce que j'avais demandé en vain. Quand elle ne sut vraiment plus où les ranger, son déménagement fut tout de suite décidé.

A cette époque, elle prit l'habitude de m'inviter à déjeuner le dimanche. J'arrivais vers une heure. Sauf le couvert dressé, rien n'indiquait que nous allions manger. A une heure et demie, nous nous attablions devant une viande grillée, des champignons sautés, un fromage, des fruits. J'avais emporté une bouteille de vin rouge qu'en hiver je roulais dans une grosse épaisseur de papier pour que le trajet ne le rafraîchisse pas.

— Le déjeuner n'a pas encore surgi de terre ? demandai-je en arrivant.

— Qu'est-ce que tu voudrais ? Des choucroutes qui empesteraient l'appartement ? Du bœuf bourgignon dont le parfum serait encore accroché aux rideaux après-demain ?

La finesse de son odorat était extrême. Avec elle, le sujet des odeurs semblait inépuisable. C'était la source de la moitié de ses plaisirs et des trois quarts de ses mauvaises humeurs. Au reste, les longs mijotages n'étaient pas son affaire. Mais le soir, au restaurant, elle choisissait le consommé, le bœuf en daube.

— Quelle patience ! Tu te rends compte ? Ils ont dû s'y mettre avant-hier.

Après le déjeuner, dès le printemps et jusqu'aux neiges, nous allions faire une promenade en forêt. Nous en connaissions plusieurs, mais nous avions notre préférée. C'était une forêt de pins si serrés que leurs branches basses étaient mortes, faute de lumière. Pour ce que les fûts dénudés montaient en colonnades, ils donnaient l'impression d'une sorte de temple. Le sol, recouvert d'une épaisse couche d'aiguilles, ne permettait aucune autre végétation. Le silence de ces bois, la couleur verdâtre de l'ombre qui y régnait, l'odeur de la résine avaient quelque chose de doux et de poignant. Nous nous étendions sur le sol, silencieux et chastes, ne nous permettant d'enlacement que celui des mains. Un loriot lançait ses quatre notes : la, sol dièse, fa, mi, et nous lui répondions inlassablement. Ou bien nous errions au milieu des arbres. Nous allions jusqu'à la clairière. Les pins qui bordaient étaient énormes et verts, ceux-là, jusqu'au sol. Tout autour, il en poussait de petits, parfois pas plus hauts que le doigt, touchants d'enfance et de fragilité.

Un jour que nous approchions de la clairière, un bruit lointain qui ne ressemblait à rien de ce que je connaissais, un bruit grêle et ample à la fois, et qui allait s'amplifiant chaque seconde, jusqu'à ce que je me rende compte qu'il venait du ciel, m'immobilisa.

— Qu'est-ce que c'est, Gabrielle ?

Elle courait à la clairière. Je la suivais en répétant ma question. Sans cesser de courir, elle me cria :

— Les oies, les oies sauvages !

Elles arrivaient, innombrables, en clamant sans arrêt, comme si elles avaient eu besoin de ce bruit pour soutenir leur courage. Quand elles furent plus près, je vis qu'elles n'étaient pas en groupe confus, comme je l'avais d'abord cru, mais qu'elles volaient en un ordre rigide dont elles ne s'écartaient que pour se remplacer à tour de drôle, en tête de ligne.

Il arriva, soudain, qu'une des leurs se laissa distancer. Elle allait, comme à la dérive, en marge de la longue file, et l'écart s'accroissait vite.

— Tu vas voir, me souffla Gabrielle.

Et je vis : trois ou quatre oiseaux se séparèrent du groupe, vinrent entourer la traînarde et la ramenèrent, je ne sais au moyen de quelle force, avec les autres. Une exaltation au bord des larmes m'envahit. J'avais le sentiment d'avoir fait irruption au milieu d'une sorte de mystère.

Deux fois encore, des groupes nouveaux passèrent. L'un d'eux s'effilocha lamentablement au passage d'un avion. Après quelques minutes de flottement, il se reforma et reprit la route. Un quatrième passa si loin que nous l'entendions sans le voir. Et chaque fois, j'avais la gorge nouée devant ce phénomène inexplicable, ce courage, cet entêtement. Cet inéluctable aussi, qui me faisait le comparer à l'amour.

Quand le soir tombait, nous revenions vers la voiture. Le tapis d'aiguilles était si doux, que nous percevions cette douceur au travers de nos gros souliers sport. La caresse désintéressée des choses...

Le samedi soir, nous étions souvent invités. Les invitations nous arrivaient séparément, mais toujours pour aller au même endroit. Je ne sais pas qui elle voyait avant notre rencontre. Je ne lui ai jamais connu d'amis de toujours. Les gens qu'elle fréquentait, c'est par moi qu'elle les avait connus. Quant aux amoureux, je sais bien qu'elle en avait eu, mais elle ne me faisait pas de confidences et je ne posais pas de questions. Elle disait parfois « mon passé besogneux », avec un geste qui semblait le pousser derrière une porte, tirer un rideau devant lui.

De ces réunions où nous allions, je rapportais un trouble complexe et toujours le même : fierté, jalousie, et peut-être aussi mauvais pressentiment. Mais on finit par tenir pour rien et par secouer de soi la prémonition d'un mal qui tarde à se produire. Quand il fond sur vous, vous réentendez, de très loin, l'avertissement négligé. Et puis, il y a une sorte d'amer plaisir à être le compagnon d'une femme entourée, désirée, d'une femme dont les pensées, les goûts, tout ce qui constitue le petit bagage secret de chacun, sont, dans ses livres, à la portée de tous. Combien en ai-je vu de ces comédiens, la paupière baissée sur leur mensonge, tenter de la persuader qu'ils étaient la réplique exacte de celui qu'elle avait comblé d'amour dans son dernier roman.

Elle n'était pas très coquette. Mais il lui arrivait, rarement il est vrai, mais il lui arrivait de vouloir plaire. Bien sûr. Je la voyais soudain, de si loin que je fusse, se mettre à briller, à se lustrer, à prendre de la couleur et de la chaleur. Je la voyais devenir piquante et embellir. Jamais, même quand notre amour ayant pris de l'âge l'apaisement se glissa entre nous, je ne pus me résoudre à négliger ce qui se passait à l'autre bout de la pièce. Peu à peu, allant de groupe en groupe, je me rapprochais jusqu'à me trouver à portée d'oreille. Je surveillais, j'attendais le prétexte — son verre vide, sa cigarette à allumer — pour m'immiscer entre elle et l'autre. Avec reconnaissance, je la voyais s'éteindre, se dépouiller de son chatoiement, me sourire modestement. « Tu vois, semblait-elle dire, ce n'était qu'un tout petit feu d'artifice. »

Il y avait neuf ans, un peu plus, que nous étions ensemble, quand il lui vint un grand désir d'écrire une pièce de théâtre. Nous connaissions beaucoup de comédiens et ils la sollicitaient sans cesse à ce sujet. Elle s'était toujours dérobée, la formule dramatique lui semblant peu dans sa manière. Puis, elle se mit à m'en parler souvent. Au début, ce n'était que pour me dire qu'elle se sentait incapable d'y parvenir. Mais à force d'y penser, il lui vint quelques idées et la façon de les traiter. Puis, un jour :

— Tu sais, j'abandonne le bouquin en cours et j'écris une pièce. J'ai trouvé l'intrigue que je cherchais et je ne peux plus attendre pour l'écrire. J'en ai trop envie.

Comme nous nous sommes amusés pendant les premiers mois qu'elle a consacrés à ce travail. Nous passions chaque réplique par l'épreuve du gueuloir. Je n'ai jamais eu le moindre talent pour la comédie. Je défigurais la plus amusante ou la plus pathétique des répliques avec une facilité qui tenait du miracle. Comme Gabrielle ne se fiait pas à son seul jugement pour mener à bien un travail où elle était novice, elle pria une de ces comédiennes que nous rencontrions souvent de venir nous aider.

Etrange Gabrielle... Elle avait, sans paraître s'en apercevoir, en tout cas sans y attacher la moindre importance, choisi la fille la plus ravissante que nous connaissions au théâtre. Cette peau d'un grain si lisse, si serré, qu'on eût dit du papier glacé, et d'une couleur comestible, presque pêche, ces yeux d'un bleu mauve, volontiers caché sous la soie des paupières pour ce que les cils étaient immenses et valaient d'être admirés, ces jambes longues aux genoux ronds, ce corps qui semblait presque nu sous ses robes toujours échancrées en corbeille, tout cela, et bien d'autres choses encore, elle n'avait pas craint de me le passer sans cesse sous le nez. Pourquoi ? Cela me semblait vexant, par quelque côté que j'aborde la question. Mais on oubliait vite d'être vexé, cette merveille sous les yeux.

Elle arrivait vers cinq heures, et la maison était remplie : son chapeau sur un fauteuil, son manteau sur un autre, ses gants, son sac, le fruit de ses courses toujours coûteuses, toujours nombreuses et qui faisaient les frais du début de la conversation. Elle exhibait des bas fins, des souliers extravagants, des soieries dont elle se drapait avec des roucoulades de plaisir. Elle rejetait la tête en arrière, et l'on voyait battre la vie à la base de son cou. Puis, elle s'asseyait sur le tapis, s'entourait les genoux de ses bras. Chaque fois que je m'approchais d'elle, je voyais jusqu'à l'aréole ses seins nus dans l'encorbellement du corsage que sa posture faisait bâiller. Je n'aurais eu qu'à me pencher pour m'en saisir. Je ne dis pas que je n'en avais pas envie.

Puis elle se mettait au travail, s'interrompant souvent pour ingurgiter des quantités incroyables de jus de fruits et des crudités que Gabrielle lui préparait par larges plateaux. Cette fille ne nourrissait que sa beauté, semblait-il, ce qui était bon pour le teint, ce qui était bon pour la ligne, se refusant tous nos poisons journaliers, s'astreignant à une discipline de moniale.

— Vous savez bien, Corinne, que vous seriez belle sans tous ces empêchements de danser en rond.

Elle levait vers moi ses yeux au blanc presque aussi bleuté que l'iris, des yeux pleins d'une coquetterie anonyme, égale pour tous.

— Ne m'enlevez pas la confiance. Sans confiance, c'est inefficace.

Comme preuve que sa confiance était efficace, elle étendait vers moi un bras rond, mince, mais avec cette peau tendue à craquer qu'on ne voit d'habitude qu'aux obèses. Au bout du bras, les doigts fins étaient offerts.

Mais je me gardais bien d'y toucher. Je savais, pour la lui prendre à l'arrivée et au départ, combien elle était chaude et fondante cette main, et cela suffisait pour que je m'en tienne éloigné, entre-temps.

Cet arrangement dura plusieurs semaines. Gabrielle en était ravie. Corinne avait une oreille scrupuleuse : les dangers de chuintements, de lapsus, lui apparaissaient immédiatement et elle les indiquait en s'y laissant tomber lourdement. Puis, notre fou rire passé, le mot changé, l'équilibre rétabli, elle disait la réplique, tout de suite émue, ou acerbe, ou tendre, les yeux mouillés s'il le fallait, le sein agité. La réplique dite, les yeux s'asséchaient, la poitrine s'apaisait, la voix d'or perdait une partie de sa résonance, et j'admirais qu'elle ne me semblât pas moins digne de foi ou de confiance qu'une autre. Pourtant, tout cela, n'était-ce pas mentir admirablement ?

Gabrielle laissait toujours une clef sous le paillasson. Il était entendu que Corinne n'avait qu'à entrer si elle arrivait la première au rendez-vous. C'est ainsi qu'un jour, je la trouvai seule. Comme je fermais la porte, elle raccrochait le téléphone.

— Gabrielle est à l'autre bout de la ville où elle discute avec le directeur de la troupe. Nous ne travaillerons pas ce soir. Je vais partir.

Elle parlait d'une voix toute drôle, haut perchée, que je ne lui connaissais pas. Elle avait dit : « Je vais partir », mais, maintenant, elle était assise, raide, sur un bout de chaise, sans me regarder. Etonné de cette voix altérée, comme desséchée, j'étais là, debout, et je ne disais rien. Puis, elle se leva et je l'eus devant moi, comme Gabrielle s'était tenue, un soir, il y avait des années. Mais avec un cou incliné vers l'épaule, un cou docile de victime. Mais sans rien de volontaire, sans cette urgence, cette intimation qui m'avaient, cette fois-là, subjugué. Après un long moment, elle ferma les yeux. Ce visage offert, cette peau qui tentait les dents, qui mouillait la bouche.

— Il est malheureux que vous ne puissiez pas attendre Gabrielle.

Elle leva vers moi un regard miroitant d'une eau retenue.

— Bien sûr, c'est ce que je disais.

Elle prit son manteau et se dirigea vers la porte en se frappant à tous les meubles. Avant de la refermer, elle eut encore le tout petit courage de dire « Bonsoir », et je lui répondis « Bonsoir », aussi doucement que je le pus.

J'écoutai, crispé de regret et de désir, le bruit décroissant de ses pas légers qui n'avaient pas, ce soir, leur rythme habituel et j'allai m'asseoir sur le tapis, à l'endroit où elle se posait d'habitude, près de la table basse. Et voilà ! Je m'étais conduit comme un rosier. De la rancune contre Gabrielle venait s'ajouter à mon dépit d'avoir laissé partir cette belle fille qui me faisait envie, et aussi, cette sorte de malaise que l'on ressent quand on imagine que l'amour pourrait durer toujours, et qu'il vous interdira à jamais l'épaule, la bouche, le sein inconnus. J'essayais de trouver du bonheur à avoir été fidèle et je n'éprouvais que de la colère. J'en voulais à Gabrielle de m'avoir interdit Corinne et je lui en voulais de ce que, par son absence, elle m'eût donné l'occasion de sentir cette interdiction.

Il y avait longtemps qu'entre Gabrielle et moi l'apaisement était intervenu. J'ai parlé de bienheureuse habitude. L'apaisement, c'est autre chose. C'est la suite. Un jour, nous n'avions plus été émus par la menue monnaie de l'amour : l'enlacement des mains, l'épaule à épaule, les baisers. Le jour où l'on n'est plus foudroyé par un baiser sur la bouche, celui où la possession peut s'accomplir sans cette soudure presque ininterrompue qui en était jusqu'alors le pôle et non l'accident, ce jour-là est à marquer d'une pierre grise. Je repensais souvent au premier baiser, à la ferveur avec laquelle j'écoutais le râle léger dans la gorge toute voisine. Je me souvenais du visage bouleversé qu'elle tournait vers moi pour un frôlement du genou sous la table, pour une caresse sur la nuque. Il avait bien fallu nous avouer que, si nos coeurs étaient toujours aussi épris, notre désir avait pâli. Je m'étais habitué à vivre sans ce merveilleux excitant. Et voilà que cette petite fille...

Quand la porte s'ouvrit, j'étais toujours assis sur le tapis. Je m'en relevai avec précipitation. Gabrielle n'accusa aucune surprise. Elle ne parla même pas de Corinne. Animée, les yeux brillants, elle n'en avait que pour sa pièce. Elle l'avait discutée longuement avec le directeur de la troupe qui la devait monter et, après être convenus de quelques retouches, ils étaient tombés d'accord. La soirée se passa à amorcer ces retouches, pendant que je feignais de lire dans mon fauteuil. Vers minuit, exténuée, elle repoussa son travail. Et moi qui respectais toujours sa fatigue, je lui demandai, ce soir-là, de me garder. Mais je n'en étais pas autrement fier.

Les semaines qui suivirent furent fiévreuses. Les retouches faites, on s'était attaqué à la distribution. Corinne ne faisait pas partie de cette troupe, mais Gabrielle obtint qu'on lui donne, quand même, le rôle de l'ingénue.

Ce choix me laissa d'abord sceptique. Avec cette façon, ouverte de partout, qu'elle avait de s'habiller, je n'imaginais pas Corinne jouant les pucelles. J'avais tort. Dès qu'elle entrait en scène, aux répétitions, notre imagination la costumait d'une petite robe plissée, d'un col Claudine bien blanc, de sandales innocentes. Même le jour où elle vint, au sortir de son cours de gymnastique, en long collant noir de danseuse. Je compris, ce jour-là, que jouer la comédie, ce n'est pas seulement parler un rôle. Ceux qui la virent, plus tard, donner sa scène d'amour dans sa robe de très jeune fille, ne sauront jamais le jeu émouvant de tous les tendres muscles dont chacun participait, autant que le dialogue, à l'offrande et au refus conjugués. L'effroi, la prudence, la tentation, le recul se lisaient sur les épaules serrées puis redressées, sur les genoux tendus puis relâchés, sur les cuisses jointes, sur les hanches qui se projetaient insensiblement. Quand, à la fin de la scène, elle se reprenait, tout le corps s'effaçait jusqu'à n'exister plus.

Assis entre le metteur en scène et Gabrielle, je voyais celle-ci ébaucher tous les mouvements de Corinne, tant elle était subjuguée par leur justesse, leur nécessité, leur cohérence. Et j'entendais, de l'autre côté, le metteur en scène haleter un peu. Pour moi, j'aurais voulu n'être ému qu'artistiquement. Je ne suis que trop porté à me mentir. J'avoue que je l'étais bien autrement.

La petite Corinne... Nous nous étions revus comme si de rien n'était, sauf à la première répétition où elle avait pris un visage enfantin pour me dire — et le choix des mots m'avait amusé :

— Je suppose que vous me jugez sévèrement.

La juger ? Je n'avais pu m'empêcher de rire.

— Qui suis-je pour juger, Corinne ?

J'avais pris pour lui répondre une voix théâtrale et elle avait ri elle aussi. Elle était coquette, bien sûr. Mais il y avait quelque chose de si naïf et de si fier dans sa façon d'être provocante. Il y avait quelque chose de si touchant dans cet étalage — si j'emploie ce mot, c'est bien faute d'en trouver un meilleur — de sa beauté. Une sorte d'équité, un partage, un cadeau.

L'échéance approchait. Gabrielle devenait tous les jours plus fébrile.

— Cette fois-ci, il ne s'agit plus d'être jugée par une douzaine de critiques qui ont tout le temps pour réfléchir sur les défauts ou les qualités d'un livre. Je vais comparaître sur place et devant des centaines de juges à la fois.

Elle serrait les mains l'une contre l'autre.

— J'ai froid depuis des semaines.

Je la voyais se consumer, s'affiner. Elle embellissait d'une façon subtile, comme de dessous la peau. Je ne l'entendais parler que de ses craintes, mais elle semblait déjà touchée au front par le succès.

La veille, je la laissai à neuf heures. Nous avions beaucoup ri à choisir, parmi les quelques calmants qu'elle possédait, les comprimés « les plus prometteurs en cette conjoncture » disait-elle.

— Téléphone-moi dès que tu seras éveillée, demain matin. Je veux être le premier à te souhaiter ton anniversaire.

Une sorte d'égarement descendit sur son visage.

— C'est pourtant vrai. Déjà le 14 novembre. Je vais avoir quarante-deux ans.

Elle semblait surprise de ses propres paroles. Puis, elle appuya la tête sur mon épaule.

— C'est fou ce que je ne les sens pas.

Je m'éveillai, le lendemain, bien avant que le soleil paraisse. Il était à peine cinq heures. J'essayai, sans succès, de me rendormir. Le sort me la faisait bien longue cette dernière journée de notre amour. Qui m'aurait dit qu'il s'écoulerait plus de quarante heures avant que je ne m'étende de nouveau sur ce lit que je quittais le corps léger et que je m'y étendrais à jamais blessé, à jamais broyé.

La dernière journée. Elle a existé, minute par minute. Pour Gabrielle, pour moi. Pour lui aussi. Nous avons tous été tirés vers sa fin. Le lendemain, plus rien n'était semblable à la veille. Comment l'ai-je vécue ? Un coup comme celui que j'ai reçu a l'effet de l'alcool : certains de mes souvenirs sont aigus, d'autres sont noyés dans le flou.

Je me souviens qu'en me levant j'avais faim et que je ne pus manger. L'estomac, indifférent, réclamait : mais la gorge, plus subtile, plus habituellement et de plus près mêlée à tous les émois de la vie, plus facilement alertée, se serrait. Je vois encore, sur le bout de la table, les côtes d'une orange fleurissant une assiette jaune pâle. C'était joli, mais pas assez pour me convaincre.

Je me souviens d'avoir fait tant de bruit sous la douche, tellement j'étais plein d'exubérance, que la voisine, tirée de son sommeil à cette heure impossible, se mit à frapper violemment sur le mur et que, plus tard dans la journée, je glissai un mot d'excuse sous sa porte. Elle essaya de m'en parler le surlendemain, s'offusqua, je pense, de mon air absent, et fut ensuite des mois sans me regarder quand nous nous rencontrions dans l'escalier.

Je me souviens que j'attendis, avec quelle impatience, qu'il fût neuf heures, pour téléphoner à la fleuriste. Que j'eus avec elle une longue discussion à propos d'un problème qui me semblait important et insoluble, et que je ne parvenais pas à lui faire prendre au sérieux. Je voulais que mes fleurs arrivent chez Gabrielle le plus tôt possible, mais je ne voulais pas qu'elles risquent de l'éveiller. Finalement, elle proposa de tenir les fleurs prêtes et de garder disponible un livreur qu'elle enverrait dès mon appel téléphonique, mais au ton qu'elle avait, je devinais qu'elle me croyait devenu fou.

Je me souviens que Gabrielle téléphona vers onze heures, qu'elle avait une douce voix tout ensommeillée, qu'en écoutant mes vœux elle riait d'appréhension et d'espoir, à l'autre bout. Ce petit rire étranglé... Et je lui dis — au vrai, c'était une idée qui me venait tout juste mais je lui en parlai comme d'un projet longuement mijoté — que j'avais décidé de publier sa pièce en édition de luxe. Cette promesse, je l'ai tenue.

Je me souviens que, pendant le déjeuner, nous avons longuement parlé du passé. Qu'à certains moments, je me sentais presque aussi ému qu'aux premiers temps de notre amour. Que je lui trouvais le même visage qu'elle avait quand, après la publication de ses premiers livres, elle attendait les réactions du public, les critiques, les lettres. Que je lui dis que j'avais été heureux, que la vie avait été douce avec elle, et que ces dix années avaient été courtes.

Je me souviens que je ne fis à mon bureau qu'une brève apparition, juste pour signer le courrier. Que, revenu chez moi, je lui téléphonai et lui proposai de faire porter chez elle un léger dîner d'un restaurant voisin. Que, pour n'avoir pas à la quitter de nouveau, j'apportai mon habit dans une mallette. Elle accepta cet arrangement avec enthousiasme, se sentant, me dit-elle, malade de peur.

Quand j'arrivai devant la maison, je levai les yeux vers ses fenêtres. Elle était là, le halo rose de la lampe derrière elle. Elle avait placé mes fleurs sur la table, tout près, et les prit dans ses bras pour me les montrer.

Je n'étais pas encore à son palier, qu'elle ouvrait la porte et me criait :

— Viens vite, chéri. La maison est embaumée.

C'était vrai. Un doux parfum triste, un peu funéraire, un peu poignant.

Je la pris aux épaules. Elle avait lavé ses longs cheveux et leur masse humide était fraîche aux doigts et parfumée. Elle sentait le jardin d'après pluie. Elle se dégagea doucement. Au fond, je sais bien pourquoi je ne l'ai pas gardée quand même. C'est que je m'étais figuré que ce serait bien plus excitant en revenant du théâtre, après les bravos, après l'avoir montrée à tous.

Elle voulut se rendre au théâtre tôt. Tous les comédiens étaient là. La plupart semblaient calmes, mais toutes les mains tendues étaient moites et glacées, et toutes étaient violacées, par quoi nous les devinions froides avant de les toucher. Corinne essayait sur les siennes d'un fond de teint vert pâle qui était censé « tuer le rouge ». Puis, elle se félicita bruyamment d'avoir à porter des sandales. Comme je lui demandais pourquoi, elle prétendit qu'en hauts talons elle ne tiendrait pas sur ses jambes, fit pour me le prouver quelques pas aériens, trébucha exprès, se rassit, et reprit son calme comme on rattrape un objet qui tombe.

Je n'ai gardé de Gabrielle, en ces moments d'attente, qu'un souvenir fugitif. Elle disparaissait et reparaissait, courant chez l'un et chez l'autre, mourant de chaleur sous ses fourrures, les enlevant, claquant des dents dans sa robe décolletée, les remettant, se butant à la fausse paix des autres, laissant voir, sans pudeur, tout le désarroi des êtres fortement organisés quand ils traversent une crise.

Enfin, tout ce temps finit par passer et je l'entraînai vers la salle. Il y eut les trois coups, le silence. Le petit bruit du rideau. Quelques spectateurs applaudirent le décor. L'amoureux de Corinne entra avec l'amie de sa mère. Les premières répliques tombèrent dans le silence revenu. Je sentis que la rencontre s'opérait, que cela accrochait. Tout allait bien. Je me tournai vers Gabrielle et, quand je songeai à revenir à la pièce, le premier acte s'achevait.

Ramassée sur elle-même, les coudes aux genoux, les doigts crispés sur les joues, tendue, fascinée, aussi insensible à ma présence que si j'eusse été à mille lieues, elle semblait l'image de la solitude. Seule, oui, je crois que c'était cela. Dans cette salle, il y avait elle d'un côté et le public de l'autre. Les comédiens ? Chaque comédien c'était elle. Ils ne parlaient que son langage, riaient de son rire, pleuraient ses larmes. C'était son amour qu'ils offraient. Son corps qu'ils montraient. Elle était seule en face du public qui restait libre de refuser ses dons. Pour elle, plus de liberté. Elle était enchaînée et seule.

Le rideau tomba. Le public applaudit. Beaucoup, mais pas autant que je l'aurais voulu. J'eusse trouvé naturel qu'elle récoltât tout de suite un triomphe de fin de représentation. Elle se tourna vers moi :

— Je suis écrasée. Je ne bouge pas d'ici.

Elle se pelotonna dans ses fourrures car, maintenant, elle grelottait même couverte, et fit comme elle avait dit. Quand le deuxième acte commença, elle n'avait pas bougé. Et elle garda cette inhumaine immobilité jusqu'à la fin du troisième acte, même lorsque la température de la salle se mit, à la suite du dialogue dont l'intensité progressait curieusement par paliers, à monter par bonds successifs. Une des répliques de Corinne qui n'avait jamais provoqué que nos sourires, obtint un tonnerre de rires. Puis, le silence revint d'un coup, épais, chaud, sans trous. Même les tousseurs s'étaient tus. Les dernières phrases s'égrenèrent, une à une. Il y eut encore d'interminables secondes de silence pendant lesquelles j'entendis le souffle tremblé de Gabrielle et ce fut tout le poignant tapage du succès. Quand le cri « l'auteur » commença à se faire insistant, elle glissa hors de sa fourrure, gagna la scène, et vint saluer avec un joyeux orgueil.

Nous étions tous invités chez des amis après la représentation et il était entendu que le directeur de la troupe s'y rendait avec nous. Quand il fut démaquillé, que Gabrielle se fut libérée des spectateurs attardés, nous sortîmes tous les trois dans la nuit glacée.

— Si vous voulez, je peux bien conduire la voiture, me dit-il. Je ne suis pas fatigué.

Nous avons fait tout ce parcours enlacés. Elle était engourdie, silencieuse, à peine vivante. Sûr de la posséder plus tard, avec un plaisir accru par son triomphe, je n'attachais à cette étreinte aucune intention voluptueuse. Je laissais filer le temps. Comme un riche.

Chez Nicole, il y avait déjà foule. Gabrielle me fut tout de suite enlevée. Tant pis ! C'était pour si peu de temps.

Il y avait bien une heure que nous étions là et, fatigué, je m'étais tiré un siège dans le coin qui se trouvait le plus éloigné du buffet où s'abreuvaient les comédiens desséchés par ce paludisme qu'est leur métier. Je n'avais pas soif, ni faim. J'étais fourbu et heureux. Une voix cassante me tira soudain de ma béatitude.

— Je n'ai pas été présenté à Mme Lubin, disait-elle.

Je levai les yeux, assez étonné de cette abrupte entrée en matière et je reconnus Michel Bullard, journaliste, comédien, critique, écrivain, poète, quoi encore ? et en tout de troisième ordre. Eh bien ! il n'était pas le seul à n'avoir pas été présenté à Gabrielle. Avant de répondre, je m'offris le plaisir de le toiser pendant un temps qui me parut interminable. Mais il laissait filer les secondes sans s'émouvoir, sans même battre des paupières. Je sentis, tout à coup, que j'allais perdre contenance le premier.

Que cet homme m'était intolérable ! S'il abordait Gabrielle sur ce ton, elle n'en ferait qu'une bouchée.

Elle lui tendit une main distraite et je retournai bêtement m'asseoir dans mon coin. Ce Bullard, je l'avais haï tout de suite. Qu'il s'arrange. Je n'allais certes pas lui faciliter une conversation avec Gabrielle. Au reste, après quelques phrases, elle semblait vouloir se détourner. A ce moment, l'air à peine moins roide que tout à l'heure, il lui toucha le bras. Non pas de toute la main, mais du seul index. Ce toupet ! Gabrielle le regarda et rabattit précipitamment les paupières.

Cela peut sembler trop facile à dire, maintenant, mais je crois que j'ai su avant elle.

Avec un malaise extrême, j'attendais qu'ils se remettent à parler. Gabrielle, médusée, regardait ce doigt impératif sur son bras. Mais Bullard semblait à l'aise dans ce silence de théâtre que l'on garde aussi longtemps que l'auditoire peut tenir le coup. C'était, il semble, sa spécialité. Il se lança, enfin, dans un monologue interminable, sans une hésitation, sans une pause, nullement intimidé par l'attention aiguë qu'elle lui donnait, attention sollicitée non seulement par les mots, mais par toute la présence physique de Bullard. Je voyais son regard courir agilement sur lui, revenir à la main qui ne la touchait plus, mais qui n'était que relevée au-dessus du bras nu.

Je l'avais tout de suite haï, bien sûr. Cela ne m'empêchait pas, que dis-je, cela me forçait de voir qu'il était beau : grand, à la fois robuste et mince, des yeux à moitié dissimulés sous les paupières longues, la bouche abaissée aux commissures et, surtout, des sourcils noirs, luisants et qui formaient une pointe à leur tiers extérieur, comme on en suppose à Méphisto. Sur tout cela, un air de mépris et de hauteur à tourner toutes lés têtes.

J'aurais voulu me lever, aller les rejoindre. Allais-je attendre qu'il soit trop tard ? Je me sentais, tout à coup, les jambes lourdes, la nuque raide. D'où j'étais, je voyais Gabrielle s'animer, rosir, tirer la taille, rejeter les épaules. Je la voyais frappée de jeunesse et de beauté et je comprenais soudain, sans savoir pourquoi, comme on comprend, je suppose, qu'on est mortellement blessé même si l'arme n'a fait qu'une entaille étroite, je comprenais que cette fois-là je n'y pourrais rien.

Cependant — je venais de remarquer sa présence — Corinne parlait toujours. Je n'avais pas écouté.

— Ma petite Corinne, voulez-vous venir avec moi ? Nous irions retrouver Gabrielle.

Elle leur tournait le dos, mais à sa façon de serrer les épaules, à son visage, je vis bien qu'elle savait dès avant de venir me parler.

— J'étais là, dit-elle. J'ai entendu ce qu'ils se disent.

Elle tendit la main pour m'aider à sortir du fauteuil trop bas. Comme si j'avais été bien vieux ou malade.

— Mon Dieu, Corinne, que peuvent-ils bien dire de si extraordinaire ?

— Oh ! rien... Enfin, on dirait qu'ils se battent. Vous savez ?

Oui. Je savais. Cela commence souvent comme un combat.

Nous nous sommes arrêtés au buffet nous pourvoir chacun d'un verre. En approchant de notre but, nous parlions avec des voix hautes et gaies. De ces mots stupides, artificiels, que l'on prononce sans savoir ce que l'on dit, qu'on répète trois ou quatre fois de suite, idiotement. Voilà, nous arrivions.

— Et vous ? Vous ne buvez pas ? Mais il faut boire, voyons.

Bullard me considéra un long moment, tira un peu plus ses coins de bouche vers son menton.

— Je ne vois pas que ça soit absolument nécessaire.

Et Gabrielle ? Gabrielle ne dit rien. Rien.

Sans comprendre comment, nous nous sommes retrouvés seuls, Corinne et moi. D'un mouvement concerté, ils avaient reformé leur isolement. Corinne se mit à crier :

— Si on dansait, hein ? Si on dansait.

Quelqu'un tourna un bouton. La musique passa de l'état de sourdine à celui de tapage nocturne. Corinne m'entraîna, bien collée à moi, son bras frais tout entier autour de mon cou. C'était bien inutile : Gabrielle ne nous voyait pas. Aucun secours, aucune consolation ne me venait de ce jeune corps que j'enlaçais pour la première fois. J'avais beau enfoncer mes doigts dans la chair tendre de la taille, j'avais beau plonger mon visage dans les cheveux chauds, je n'étais pas moins malheureux. Corinne, qui le sentait bien, devenait peu à peu inerte.

Nous fûmes happés, tout à coup, par un groupe où l'on était très excité. Tout le monde y parlait à la fois. J'avais l'impression d'être au milieu de compatissants conspirateurs et je me laissais faire. Quand Gabrielle surgit pour dire rapidement qu'elle était fatiguée : « Je prends un taxi. Ne te dérange pas », je dis seulement : « Bonsoir. » C'est bête, j'étais soulagé. Elle partait. C'était déjà ça. Demain, tout s'arrangerait. Demain.

Bullard dansait maintenant avec Nicole. Je le regardai faire quelques secondes, puis revins à la conversation. Mais, subitement, je décidai de prendre congé, d'aller chez Gabrielle, et de tenter d'effacer tout cela dès ce soir. Je cherchai le couple des yeux. Nicole dansait avec un autre. De Bullard, plus de traces.

Je me faufilai dans le hall, attrapai un manteau qui n'était pas le mien et dont j'eus toutes les peines du monde, plus tard, à retrouver le propriétaire, et dévalai l'escalier. Je sautai dans ma voiture, pris, à rebours, une rue à sens unique déserte à cette heure, grâce à quoi la distance était coupée du tiers, et arrivai devant la maison qu'habitait Gabrielle juste à temps pour voir Bullard y arriver et s'y engouffrer.

Trente secondes après, elle devait l'attendre à sa porte, je vis leurs deux silhouettes jointes se profiler à la fenêtre. Ils n'avaient même pas songé à tirer les rideaux. Sur la table, tout près d'eux, les fleurs qui, sûrement, embaumaient encore la pièce.

Il était, je suppose, trois heures du matin. Il faisait un froid vif pour novembre. Que j'étais fatigué. Que j'étais transi. Il n'importe, je resterais là jusqu'à ce qu'il sorte et je monterais chez Gabrielle. Un agent passa, repassa, leva la tête vers la fenêtre illuminée où je ne les voyais plus, s'éloigna. Il n'y avait qu'à attendre et qu'à souffrir. Mais tout cela n'était encore rien : la fenêtre s'obscurcit d'un coup. J'espérai d'abord que c'était parce qu'il partait et j'eus ce petit coup au cœur que vous donne l'imminence de la bagarre. Mais il ne sortait pas. Ils avaient éteint, tout simplement.

Maintenant, il n'y avait plus rien à sauver. Pourtant, je restais là, prolongeant sans raison une veille dont je n'attendais plus rien, si ce n'est de savoir combien de temps leur bonheur à tous deux durerait là-haut. Puis, l'idée me vint que j'avais sur moi la clef de l'appartement de Gabrielle. Je la sortis, la fis tourner entre mes doigts, m'imaginai entrant dans la chambre avec des airs de justicier, parlant haut. Quelle blague ! Je n'étais plus capable que d'attendre, tapi dans cette voiture, ne sentant plus mon amour que par mon envie de crier. Même cela je ne l'aurais pas pu : la jalousie m'étranglait, physiquement, comme une corde. Il était loin le temps de l'amour engourdi, un peu sommeillant, de l'amour que l'on prend pour acquis. Je repensais à notre dernière étreinte, dans cette même voiture, quelques heures plus tôt. Rien ni personne ne m'avait donc crié qu'il ne fallait pas la desserrer ? Je n'avais rien entendu. Homme, pauvre être sans instinct, qui a perdu le sens du danger, la prémonition, qui n'entend plus d'avertissement, homme sourd.

La rue se mit à se peupler. Un passant, puis deux, puis la petite vague des premiers travailleurs. Le camion du laitier tourna le coin. Ce laitier fait tant de bruit dans les escaliers qu'il m'éveille tous les matins, me disait-elle souvent. Je le regardais entrer et sortir de chaque maison, encore cinq, encore trois, jusqu'à ce qu'il eût atteint la sienne. Quand il en ressortit, la lumière se fit chez elle. Ça n'allait plus tarder. Puis, je pensai qu'il fallait bien qu'ils mangent, ces amoureux.

A huit heures, un taxi vint se ranger devant la porte. Bullard sortit, ne me vit pas ou feignit de ne pas me voir, et je me retrouvai libre de monter chez Gabrielle. Mais je n'en avais plus le courage. Faire face au désordre laissé par le passage de ce jeune vainqueur, désordre des objets, désordre du visage, désordre des odeurs même, je savais bien que je ne pourrais le faire sans me laisser pitoyablement aller. Et puis, j'avais une sorte de paresse à souffrir davantage. Cette paresse, je la reconnaissais. Je savais qu'il faut s'y soumettre. Je l'avais ressentie par d'autres nuits, de désordre aussi, celui qui vient du ciel visité par la haine, le fer et le feu, nuits d'attente dans le froid de précaires abris, mais où je n'étais menacé que de perdre ma vie.

Oui, il me reste de tout cela, par-dessus tout, le souvenir du froid intolérable qui m'avait, de part en part, pénétré. Quand je voulus démarrer, j'eus peine à mouvoir mes pieds gourds. Je ne pouvais plus les faire obéir et, tout le long du parcours, je n'appuyai sur l'accélérateur que par à-coups. La voiture avançait par bonds, en grenouille. A cette heure de pointe cela faillit, je ne sais combien de fois, me lancer dans quelque emboutissage.

Pourquoi un homme en habit, s'il a le visage sali de barbe, les vêtements chiffonnés, le plastron moucheté de cendre de cigarette, a-t-il, à détresse égale, l'air tellement plus lamentable qu'un autre en complet veston ? L'image que me renvoya la glace du hall, quand j'entrai chez moi, était celle d'un vieux malheureux. Mon premier mouvement fut d'aller me jeter sur mon lit, tel quel. Avant que j'y parvienne, la sonnerie du téléphone m'immobilisa. Si c'était elle ? Et si c'était elle, que dire ? Je courus vers l'appareil, assourdi par le heurt douloureux qui, de ma poitrine, se répercutait dans mes bras, dans mes jambes, faisait ma migraine. Ce n'était que Barbara. L'éditeur sud-américain qui venait me voir, ce jour-là, serait à mon bureau à onze heures au lieu de trois. Bon.

Je préparai du café. Pendant qu'il passait, je fis couler mon bain, me déshabillai. Ces vêtements que j'avais endossés chez elle. Cette cravate qu'elle m'avait nouée. Les boutons de manchette qu'elle avait glissés sans froisser les boutonnières et qui ne voulaient plus s'enlever. Jusqu'à ce que je sois nu, de la seule façon que je le serais jamais à présent, « le veuf, l'inconsolé ».

Par deux fois, la sonnerie du téléphone me sortit de la baignoire. J'espérais — que j'étais sot — entendre, en décrochant, sa voix contrite. J'aurais tout de suite pardonné, je le sais bien. Je me serais même passé de la contrition. Qu'elle appelle, qu'elle parle, hypocritement, de n'importe quoi, et j'eusse fait celui qui ne sait rien. J'aurais accepté cela. J'aurais accepté tout. Mais on ne m'offrait rien.

J'arrivai au bureau après onze heures. Je n'avais pu rien manger mais j'avais pris je ne sais combien de tasses de café et deux comprimés d'amphetamine. Mes mains tremblaient et, dans mes artères, mon sang faisait, à chaque point de pulsation, un chahut étourdissant. Castillo était déjà là.

— Vous n'avez pas bonne mine.

Il avait l'air, lui, d'un niño qu'on achève de pouponner. Il prenait toujours le moindre ennui au tragique, mais ce n'était jamais qu'affaire de muscles et de cordes vocales. Une demi-douzaine de grands gestes, quelques « madre », et la pire de ses catastrophes avait reçu son dû. Cela n'use pas beaucoup son homme.

Nous l'avions connu à Paris, Gabrielle et moi, et d'une immédiate camaraderie étaient nées, ensuite, des relations d'affaire. Nous devions, ce matin-là, régler une entente à quoi je travaillais depuis plusieurs semaines et qui me tenait fort à cœur. Castillo le savait. Il était heureux de m'apporter son accord. Il était là à m'expliquer que tout cela aurait pu s'établir par correspondance mais qu'il avait envie, depuis si longtemps, de faire le voyage qu'il n'avait pu résister au désir de venir régler cette affaire sur place, et moi je répondais : « oui, oui, mais comment donc... » Pauvre Castillo.

Quand ce que nous pouvions en décider ce matin-là fut terminé, il se leva. Ce ne fut qu'à ce moment que je m'aperçus qu'il était vexé. Je voulus m'expliquer. J'avais l'intention de lui dire, je ne sais pas, n'importe quoi, que Gabrielle et moi avions eu un petit différend. Je n'avais pas plus tôt commencé que je me retrouvai au beau milieu des confidences, afflachi sur ma chaise. Castillo, debout derrière moi, regardait par la fenêtre.

Quand j'eus terminé, il se retourna et me demanda simplement :

— Lequel de vous deux est marié ?

J'étais complètement ahuri.

— Mais nous ne sommes mariés ni l'un ni l'autre.

— Alors pourquoi n'avez-vous pas épousé Gabrielle?

— Je ne sais pas. Il serait faux de dire que je n'y ai jamais pensé. Mais il me semblait que nous étions heureux ainsi. Gabrielle est une femme qui a besoin de beaucoup de solitude. Chaque fois que cette idée m'est venue, je me suis dit que cela voudrait dire, pour elle, un surcroît de travaux ménagers, moins de temps pour écrire. Elle ne semblait pas y tenir. En tout cas, elle ne m'en a jamais parlé. Et puis, qu'est-ce que cela aurait changé ? Vous croyez que cela aurait empêché l'affaire Bullard ?

— Peut-être. En tout cas, elle ne se serait pas passée de cette façon et vous l'auriez sans doute ignorée. Ce serait, croyez-moi, une situation préférable à celle où je vous vois en ce moment. Ne me croyez pas cynique. Ce n'est pas du cynisme. C'est l'instinct de préservation. Allons déjeuner, cela vous fera du bien.

Le restaurant était encore presque désert. A peine étions-nous servis qu'il recommença à parler de Gabrielle, assez calmement d'abord, puis tout à coup, il piqua une brusque colère. Il avait empoigné, à deux mains, sa serviette déployée et me l'agitait sous le nez. Notre unique voisin, qui sentait son plum-pudding de loin, le regardait scandalisé.

— Je vous en prie, Castillo, cessez vos veronicas. Aujourd'hui, le toro n'est qu'un vieux bœuf.

Nous nous mîmes à rire, et ce déjeuner finit dans la rigolade, comme il arrive souvent quand on est ahuri de chagrin. Il se mit à me raconter des histoires de femmes. — il en avait eu dans tous les pays du monde — où il essayait, par une sorte de gentillesse pataude et gaffeuse, de se donner toujours le rôle de dupe. A l'entendre, il avait été, à lui seul et sous tous les climats, plus cocu que n'importe quel Américain du Sud. A chaque fois, il ajoutait :

— Si celle-là m'était arrivée dans mon pays, je perdais la face. Je n'avais plus qu'à entrer au couvent.

Et il repartait. Je riais tellement que de grosses larmes me coulaient et elles me faisaient, je crois, plus de bien que si je les avais versées en sanglotant dans mon oreiller.

Cela dura bien jusqu'à trois heures. Arrivés les premiers, nous partîmes bons derniers du restaurant, après avoir effarouché plusieurs vagues de plum-puddings. Puis, il me fit téléphoner à Barbara et lui dire que je ne retournerais pas au bureau, me demanda, comme une faveur, de le promener dans les banlieues de la ville, m'emmena dîner et me reconduisit chez moi. Tout cela sans se taire une seconde, une bonne histoire amenant l'autre. A la fin, je crois bien qu'il les inventait. Je le lui dis au moment qu'il me quittait. Il rit beaucoup mais je m'aperçus, soudain, qu'il avait l'air épuisé.

Sitôt seul, je me couchai, et ce que j'écartais de moi depuis des heures, la vision de Gabrielle entre les bras de Bullard, me rejoignit sans peine : je n'étais pas de force. Dix heures. Ils devaient être tous les deux, chez elle, à faire l'amour. Pourquoi non ? C'est une bonne heure. Des images horriblement précises, si précises que j'avais l'impression d'assister au flagrant délit, m'assaillaient l'une après l'autre. Il est arrivé à tous les hommes, je suppose, d'imaginer une femme qu'ils aiment possédée par un autre. Cela ne va guère plus loin que l'essentiel, faute de connaître, comment dirais-je, le style du rival. Elle et moi n'avions jamais pratiqué que le style Gabrielle, et il ne me venait pas à l'idée que Bullard pût y échapper. Aussi, ma jalousie s'en trouvait-elle minutieuse, détaillée, et ce qui m'avait semblé plein de poésie, d'intentions, de confiance, je le voyais, avec cet autre partenaire, horrible et dégradant. C'est toujours la même chose : nos amours sont sublimes ; celles des autres sont d'ignobles coucheries. La fatigue, cependant, allait avoir raison de moi. J'eus encore quelques sursauts de désespoir. Quelques minutes de totale indifférence. Puis, je m'endormis.

Il était tard, le lendemain, lorsque je fus éveillé par mon propre rire. Je rêvais que j'étais avec Castillo et que j'étais le témoin d'une des histoires qu'il m'avait racontées. J'eus quelques secondes de gaieté et, tout de suite, cela me revint — « Qu'est-ce que j'ai donc ? Ah oui... Bullard » — comme une sorte de chute, comme si je dégringolais, tiré par une brutalité invisible vers un gouffre où la vie m'abandonnait. C'est une sensation que je connais bien, maintenant. Ce matin-là, c'était la première fois. Je n'avais encore jamais ressenti cela. Parce qu'il en est des amours et des chagrins d'amour comme des maladies : des bénignes, et des autres. Les bénignes ne sont pas toujours faciles à subir. Une rage de dents, un violent urticaire, cela fait crier. (Quand Bella est partie, j'ai eu un chagrin intense. Au bout du mois, je n'y pensais plus.) Mais un cœur, un poumon lésés, la vie menacée, on ne crie pas. On peut à peine respirer.

Quand j'arrivai au bureau, le numéro de téléphone de Gabrielle figurait sur la liste des appels reçus. Je fermai ma porte et le composai. Elle voulait me voir. Je proposai tout de suite le soir même.

— Je voudrais te voir à ton bureau, me répondit-elle.

Bon. Ce n'était qu'un petit coup sur la tête de plus. Il est vrai que je ne tenais guère à aller, chez elle, me buter sur l'odeur de Bullard, sa pipe ou ses gants oubliés sur un coin de table. Mais elle aurait pu venir chez moi. Il le lui avait peut-être défendu. Ou peut-être comptait-elle sur la présence du personnel du bureau, dans les pièces voisines, pour empêcher une scène pénible.

— Je serai là à onze heures et demie, m'avait-elle dit.

Cela me laissait un quart d'heure. Je le passai les yeux fixés sur la pendule. J'entendis, dans la profondeur de l'édifice, le grondement de l'ascenseur, le roulement de ses portes au fond du corridor, le « bonjour Barbara ». Puis, elle fut là. Le temps s'était adouci. Il pleuvait. Elle portait un manteau imperméable. Elle sentait le lilas. Que de choses inchangées, et que d'irréparable.

Je l'aidai, en silence, à retirer son manteau. Elle avait, dessous, une robe que je ne lui connaissais pas, qu'elle avait dû acheter la veille. Déjà.

— Tu as une bien jolie robe. Tu déjeunes en ville ?

Elle fit oui de la tête, s'assit.

— Ecoute, je suis venue te dire...

Une rage subite me vint de lui voir cette robe neuve. Cela ressemblait si peu à ce que je connaissais d'elle. J'avais aimé bien d'autres femmes dans ma vie. J'avais été aimé. J'avais été, aussi, témoin des amours des autres. Je voyais que chaque fois la femme amoureuse était prise d'un irrépressible besoin de jeter l'argent par toutes les fenêtres pour des robes et des fourrures, de courir chez le coiffeur, le joaillier, que sais-je ? Toutes, sauf Gabrielle. Je n'avais jamais obtenu d'elle ce que les autres hommes semblaient susciter facilement chez les autres femmes : la folie, la démesure, le chambardement. Et voilà que pour ce Bullard elle s'achetait tout de suite une robe. Ça n'a rien de ruineux, bien sûr, et ça ne mérite pas qu'on parle de folie et de démesure. Mais cela prenait valeur de symbole.

— Je sais ce que tu es venue me dire.

— Je ne parle pas de ce que tu sais. Je n'ignore pas que tu as passé la nuit sous mes fenêtres.

— Bullard m'a vu ?

— Nous t'avons vu.

— Et cela ne t'a pas... dérangée ?

— Si c'est ce que tu as voulu, sois tranquille, cela m'a dérangée.

— Alors, qu'es-tu venue me dire ?

— Je me marie.

— Tu te maries ? C'est une blague ?

Elle se leva et vint me regarder sous le nez.

— Et pourquoi non ? Est-ce que je n'ai pas droit à cela comme les autres ? Est-ce que j'ai fait, pour ton plaisir, vœu de célibat ? Est-ce que je ne suis pas épousable ?

Dans la pièce à côté, Barbara ne tapait plus.

— Mais, Gabrielle, je n'ai pas dit cela. Je croyais que tu ne voulais pas te marier. Si c'est cela que tu veux, je peux t'épouser quand tu voudras.

— Il est trop tard, maintenant.

— Parce que tu as couché avec Bullard ? Quelle importance ? Il veut réparer ?

— Cela a de l'importance parce que je l'épouse, dit-elle avec colère.

Puis, elle se recroquevilla dans le fauteuil, les mains entre les genoux, comme pour y chercher un peu de chaleur, sourit pauvrement et souffla :

— Tu serais prêt à m'épouser quand même, c'est vrai ?

En un instant, je fus près d'elle. Je balbutiai « bien sûr, bien sûr », et j'essayai de la prendre dans mes bras. Elle me repoussa doucement.

— Comme tu es gentil, malgré tout. Mais il est trop tard. Je suis amoureuse.

Ce qui s'ensuivit n'était pas joli, et c'était idiot. Mais j'étais aux abois. Je voulais tout essayer, jouer toutes les cartes. Bêtise. A quoi sert de jouer les cartes qui ne font pas partie du jeu. A quoi servent des armes qui ne nous apporteraient qu'une victoire privée de sens. Ce fut malgré moi. C'était commencé avant que je puisse le rattraper. Une fois parti, j'ai continué.

— Tu es amoureuse, c'est très bien. Mais tu n'as pas pensé que, sans moi, tu ne serais rien. Que si je ne t'avais pas lancée, si je ne t'avais pas aimée, tu serais peut-être toujours dans ton petit bureau poussiéreux, que ton premier manuscrit serait toujours au fond d'un tiroir. Tu ne te souviens pas de ces premiers six mois où je t'ai enseigné ton métier ? Tu as oublié ?

Ses yeux désolés. Je crois bien que ce qui l'attristait le plus, c'était ce jour nouveau sous lequel je me montrais.

— Je n'ai rien oublié. Mais je n'imaginais pas que tu me le reprocherais un jour.

Je murmurai « Pardonne-moi ». Puis, je me remis à plaider. N'était-il pas bien tôt pour se décider à épouser un homme qu'elle ne connaissait que depuis quelques heures ? Etait-elle si sûre de l'aimer ? Tout cela n'était-il pas seulement emportement des sens ? Elle sourit un peu.

— Tout le monde n'a pas ta pondération.

Et elle se leva. Elle remettait son manteau. Elle

allait partir. N'allais-je rien trouver à dire pour la retenir ?

— Et ta pièce ? Tu es contente ?

Elle eut un regard égaré.

— Oui. Oui, je suis contente. Ma pièce, bien sûr...

Tout son visage devint dur et réfléchi.

— Je n'ai pas eu le temps d'y penser. Au fond, c'est dommage.

Et voilà. La porte était refermée. Elle était partie. C'était fini. Ce qu'elle avait attendu de moi, sans doute, un autre allait le lui donner. Pendant des années, je l'avais traitée bien plus comme ma femme que comme une maîtresse et je ne l'avais même pas épousée.

Sur la table de travail, les journaux du matin et ceux de la veille, où sûrement on parlait de la pièce de Gabrielle, attendaient. Moi non plus, je n'avais pas eu le temps d'y penser. On vit dans la fièvre et l'attente du succès pendant des mois. Le succès. Un petit coup de barre du destin et rien n'a plus d'importance. Quand, moins de deux ans plus tard, elle me donna son dernier manuscrit, j'y retrouvai la description de ce sentiment. Peu importe que ce roman se situe dans les milieux scientifiques. Je transpose en le lisant. Je traduis. Je traduis si bien que je n'ai jamais pu imaginer le laboratoire où son héroïne travaille. Quand celle-ci raconte sa découverte, je la vois arriver par l'entrée des artistes, parcourir les coulisses, aller et venir sur la scène. Tout ce groupe de chercheurs qui l'entoure, je le vois maquillé, costumé. Quand je lis leurs conversations, j'en fais des répliques, intérieurement je fais porter la voix. Et les sentiments qu'elle exprime au lendemain du jour où elle a trouvé le triomphe et l'amour, je sais qu'ils ne sont pas inventés. Je sais que de cela se nourrit sa rancune capitale.

« Tu m'as étourdie d'amour. Non pas de l'amour que tu m'as donné, je ne sais même pas si tu m'as aimée. Mais de celui que je t'ai porté. Tu m'as étourdie d'amour, mais tu m'as ravi tout le reste. Ce succès que j'attendais depuis si longtemps, à cause de toi je ne l'ai pas senti, je n'en ai pas joui. Au lieu de ne penser qu'à moi, comme il eût été naturel, je n'ai tout de suite été que ce que tu voulais, cette chose submergée dans un tourbillon charnel. Je n'ai pas eu le loisir de m'abandonner à la vanité d'avoir réussi. Tout ce que j'avais escompté, cet orgueil qui m'attendait, cette marque qui m'aurait distinguée des autres, tu as paru, tu as mis ta main sur moi, tu as posé sur moi ton regard de petit mâle vainqueur et cela a été balayé. Quand je me suis retrouvée seule, je n'étais pas l'élue, je n'étais qu'une amoureuse ordinaire, et cette solitude, je ne l'ai pas employée à savourer mon triomphe, mais à crier du désir de toi. C'est tout cela que je ne peux te pardonner. »

Aurais-je eu droit à ces bouversants reproches si j'avais, au début, profité du « jour de gloire » ? Je n'ai voulu profiter de rien. Je n'ai voulu que donner. Aujourd'hui, j'ai les mains vides, bien sûr. Mais l'autre, qui a voulu tout prendre, les a vides aussi.

Je ne sais plus très bien comment se passèrent les deux semaines suivantes. Quel jour ai-je, encore une fois, erré avec Castillo sur les routes de la campagne désolée par ce novembre glacial ? Dans quelle auberge avons-nous pris ce dîner si arrosé, qu'il nous fallut attendre jusqu'à minuit, près du feu de bois, pour que l'un des deux fût en état de conduire la voiture proprement ?

Quel soir avons-nous ramené chez moi cette petite prostituée qui, trop peu couverte pour la saison, claquait des dents à son coin de rue ? Pour un peu, nous aurions pleuré sur son sort, tant il est vrai que le bon vin rend bon. Habituée à l'ivresse dégobillante et baveuse de ses clients ordinaires, elle ne se rendait pas bien compte de notre état et ne savait plus où donner de la tête parce que Castillo et moi la demandions très sérieusement en mariage, chacun à son tour. Je crois que, naïvement, elle nous prenait pour des naïfs, et toute cette naïveté ne laissait pas de nous émouvoir les uns les autres. A la fin, je m'en fus coucher, la confiant aux bons soins de Castillo que ses origines avaient, mieux que moi, préparé au commerce de ces demoiselles car, disait-il, « dans mon pays, il est très difficile d'avoir des aventures avec les femmes honnêtes ».

Quel jour me suis-je mis en tête d'aller faire pèlerinage dans le quartier qu'habitait Gabrielle quand je la connus ? Je partis à pied vers midi. De mon bureau, ça n'était pas tellement loin, mais c'était un coin où, depuis son déménagement, je n'avais pas eu l'occasion de revenir souvent.

Tout occupé de ma peine, je ne pensais plus à regarder cette rue, ces maisons que j'étais venu revoir, quand une odeur reconnue m'arrêta : le parfum vanillé et chaud de la pâtisserie où nous venions prendre des gâteaux. Un samedi, après nos emplettes, nous étions restés devant la porte, dans la voiture, à parler de l'odeur des pâtisseries de nos enfances. Nous avions, tous les deux, sur ce sujet, des souvenirs enivrants. Tout en parlant, elle avait dénoué la cordelette du carton, et nous nous étions mis à manger les gâteaux jusqu'à ce que la boîte fût vide. Elle avait dit en soupirant, comme s'il se fût agi d'un véritable malheur : « Tu vois, encore une promesse non tenue : le goût n'est jamais aussi bon que l'odeur. » Puis, nous étions retournés dans la boutique pour en acheter d'autres.

Aujourd'hui, de la rue, je pouvais voir qu'à l'intérieur rien n'était changé, le comptoir, l'étalage, ni même la vendeuse. Ni l'odeur qui me tournait le cœur, parce que j'avais perdu l'appétit.

Cent pas de plus, et je me trouvai devant le but de ma course. Je n'hésitai qu'un court moment et j'entrai. La maison était silencieuse. Tous ces appartements minuscules étaient habités par des locataires sans famille et, pendant les heures de travail, ils étaient vides. Je montai lentement, lentement, essayant de susciter la silhouette que j'avais suivie, un soir de printemps, il y avait dix ans et plus. Arrivé à sa porte, je m'appuyai au mur. Je la voyais cherchant sa clef au fond de son sac. Je restai là quatre ou cinq minutes. Le temps ne m'avait guère paru moins long, jadis. Puis, avant de m'en aller, je cédai à l'enfantine impulsion d'appuyer mon doigt sur le bouton de la sonnette et je dégringolai l'escalier à toute vitesse. Avant d'ouvrir la porte sur la rue, j'écoutai un instant. Rien n'avait bougé là-haut. L'appartement était vide, comme il l'était toujours, à cette heure-là, au temps de Gabrielle.

Un autobus passait. J'y montai, trop las pour refaire ce parcours à pied et dépouillé, soudain, du désir de revoir autre chose de ce quartier. Ces sortes de complaisance envers sa souffrance sont idiotes. On n'arrive même pas à être plus malheureux.

Quel jour ai-je dîné avec Bullard et Gabrielle ? A la fin de la première semaine, je crois. J'étais déjà attablé quand je la vis entrer, toute changée, me sembla-t-il, plus pâle, les yeux agrandis, la bouche lourde. Dès qu'on est éloigné des êtres, ils en profitent pour se modifier. On dirait qu'ils veulent brouiller leur piste, se rendre méconnaissables. Je me levai et elle m'aperçut. Je la vis hésiter, traîner un peu les pieds, regarder vers la porte. Quand elle me vit me diriger vers elle, elle franchit en quelques pas rapides la distance qui nous séparait, avec, sur son visage, un air courageux et résigné. J'en eus une soudaine envie de rire, malgré tout.

— Tu es seule ? Tu dînes avec moi ?

— Non. J'attends Michel. Je suis en avance, je suppose. Je suis sûrement en avance.

La pauvre. Tout de suite, elle craignait d'être, devant moi, celle que l'on fait attendre.

— Je ne savais pas que tu fréquentais ce restaurant.

— Je ne croyais pas vous y rencontrer non plus. Veux-tu que je parte ?

Cette petite voix peu convaincue pour me prier de n'en rien faire. Je l'imaginais cherchant laborieusement les endroits où il y avait peu de chance de me rencontrer. « Pas ici, pas là. »

— Ecoute, Gabrielle, nous n'allons pas nous empoisonner la vie. D'anciens amants, ça peut faire une bonne paire d'amis, tu ne penses pas ?

Elle eut un petit sourire soulagé. Je lui tirai une chaise à ma table et elle s'assit. Ce ne fut qu'assise qu'elle me répondit.

— Oui, bien sûr. Je ne demande pas mieux.

Quand Bullard entra, nous sirotions l'apéritif attablés tous les deux autour de ce mensonge, ces apparences de l'amitié, feignant d'y croire et d'en être contents. Lui n'hésita pas. Etait-il tellement sûr de lui ? Ma présence auprès de Gabrielle lui était-elle indifférente ? L'intérêt le guidait-il déjà ? Il sourit en nous voyant et il était encore loin qu'il avait déjà la main tendue. Je la lui serrai. Puis, il se tira aussitôt une chaise en disant :

— Nous dînons ensemble ?

Je n'en espérais pas tant. Gabrielle eut un froncement de la bouche et du front que je mis de l'application à ne pas voir.

— Nous pouvons toujours prendre l'apéritif.

Mais quand le garçon apporta le menu, je ne parlai plus de rien, Bullard non plus, et nous avons dîné tous les trois ensemble, ce soir-là, pour la première fois.

La capacité de silence de Bullard, dont j'ai parlé déjà, ne lui servait que dans les grandes occasions. Ordinairement, il parlait beaucoup, et de lui la plupart du temps. L'occasion, ce me semble, ne devait lui être qu'ordinaire, car il parlait sans arrêt. Il était très amusant. Gabrielle l'écoutait intensément. Moi, je le regardais surtout. Je ne l'avais jamais vu d'aussi près et j'étais frappé de sa jeunesse. Quel âge pouvait-il bien avoir ? Pas un cheveu blanc, pas une ride, les dents intactes — je les voyais toutes quand il riait en renversant la tête. Trente ans ? Trente-cinq, mais bien conservé ? J'en recevais comme une sorte d'injure. Je voulus tout à coup, en avoir le cœur net. En quelques minutes, ma curiosité était passée à l'état d'idée fixe. Je ne voyais plus que ce visage lisse. J'orientai la conversation, mais avec bien du mal, sur le cinéma, sur les films d'avant-guerre.

— Avez-vous vu, vers 1935...

Il m'interrompit d'un grand rire.

— En 1935, j'avais treize ans, vous savez.

Je me tournai vers Gabrielle qui rougit violemment, d'une rougeur qui partait des épaules et que je voyais même tout le long de la raie médiane qui partageait ses cheveux. Assez bêtement, je dis :

— J'ai eu trente-quatre ans, moi aussi. Il y a dix ans.

Bullard fit « Ah ? », interloqué par ce rapide calcul mental et je plongeai le nez dans mon verre. Le dîner s'acheva tant bien que mal. Nous nous séparâmes devant sa voiture. Une fois la portière refermée sur Gabrielle, il me tendit la main.

— J'irai vous voir un de ces jours. J'ai un manuscrit que je voudrais vous montrer.

Abasourdi, je le regardai, sans répondre, faire le tour de sa voiture, monter, démarrer. Puis, j'éclatai de rire.

— Eh bien ! mon cochon, il a besoin d'être génial ton bouquin.

Soulagé par cette grossièreté mentale et par des douzaines d'autres qui me venaient comme par miracle, je rentrai chez moi.

Quel jour écrivis-je à Gabrielle cette interminable lettre ? Six ou sept feuillets de prières, de reproches, de raisonnements. Comme si on pouvait convaincre une femme amoureuse par le raisonnement. Qu'est-ce que cela pouvait changer à l'envie qu'elle avait de Bullard qu'il eût huit ans de moins qu'elle ? A la réflexion, cela ne pouvait que l'aiguiser. Quelle contrition pouvais-je lui insuffler, en lui reprochant de s'être donnée trop facilement ? Ce sont de ces choses qui ne se réparent pas et, à supposer qu'elle le regrettât, il n'y avait plus qu'à s'en accommoder. Des prières ? Pourquoi aurait-elle accepté de troquer cet amour tout neuf, avec tout ce que cela comporte d'enivrement, de frénésie, de délire, contre un vieil amour sans surprise ? On demanderait à un enfant de remettre sa nouvelle poupée aux joues roses et lisses et de reprendre la vieille toute craquelée, accepterait-il ? Certains, peut-être. Des enfants dans mon genre.

Je la terminai cette lettre — je mettais une sorte d'acharnement à aller le plus loin possible — en lui disant que, si elle s'en tenait à ses projets, j'espérais être là le jour de son mariage, comme un fidèle ami sur qui elle pouvait compter à jamais. C'était vrai. Mais c'était vrai, aussi, que j'espérais la réduire par l'excès même de ma générosité.

Castillo repartit sans l'avoir vue, sans lui avoir parlé au téléphone, et il ne voulut même pas aller voir sa pièce. Gabrielle, de son côté — et pourtant, elle se promettait de cette visite autant de plaisir que moi — avait oublié qu'il était là. Quand, plus tard, je lui en parlai, elle m'avoua que « cela lui était complètement sorti de la tête ». J'aurais aimé qu'il cherche à la voir. Si elle avait accepté — et pourquoi non ? — l'entrevue ne se serait pas faite sans moi. Mais il y montrait une telle répugnance que je n'insistai pas.

Au reste, il croyait que je n'avais besoin que de l'oublier. Pour lui, tout était simple : une femme infidèle, on l'oublie. Si on y éprouve quelque difficulté, on se soûle un peu et tout va bien. Moi, je ne voulais pas oublier Gabrielle, je voulais la retrouver. A défaut de la retrouver, je voulais garder ma peine. Quand j'étais petit, nous avions, chez mes parents, un couple de chats persans. Ils ne se quittaient jamais. Ils dormaient emmêlés l'un à l'autre. De temps en temps, ils avaient un chaton, un seul, qu'ils laissaient toujours périr faute de soins, occupés qu'ils étaient l'un de l'autre. Quand le chat tomba malade et mourut, la chatte ne voulut plus manger. Elle détournait la tête de l'assiette, d'un air ennuyé. Elle refusait, aussi, de bouger de l'endroit où son mâle était mort, la deuxième marche de l'escalier extérieur où, un matin, nous la retrouvâmes glacée et raidie, les babines retroussées en sourire sur ses dents aiguës. Il serait faux de dire que j'aie voulu mourir. La chatte persane non plus n'avait pas voulu mourir. Elle avait voulu garder sa peine, ne pas oublier, continuer à souffrir, puisqu'il ne lui restait plus que cela de son amour. La mort ne lui était venue qu'accessoirement.

Quand, Castillo parti, je me retrouvai seul, je me laissai aller à souffrir comme on s'adonne à un vice. Puis, un soir, rentrant chez moi, je trouvai la réponse à ma lettre. Cette lettre, je l'avais écrite dans le bouleversement, le désespoir, toute une houle de sentiments violents. La réponse me coupa bras et jambes. Elle était exagérément simple et familière, comme elle n'aurait même pas écrit à son frère mais à sa sœur peut-être. Une lettre qui retirait à toutes choses leur importance et leurs dimensions. Dès les premières lignes, elle y parlait de son mariage sur le plan de l'étiquette et du vêtement. Après cela, il lui avait été facile de conserver ce ton d'escamotage jusqu'à la fin.

« Que crois-tu donc ? Que je vais faire un mariage à tralalas, en robe blanche et couronne de fleurs d'oranger, à quarante-deux ans ? Avec deux cents invités, champagne, petits fours ? S'il en avait été ainsi je t'aurais demandé, bien sûr. Mais, avoue que cela aurait été d'un goût pitoyable. Nous nous marions à sept heures du matin. Les deux frères de Michel nous serviront de témoins et, naturellement, il n'y aura pas de réception après la cérémonie. Quant à la toilette de la mariée, mon tailleur neuf, le gris, tu sais bien, que je n'ai pas encore porté, fera tout à fait l'affaire. Le « something new » ne sera représenté que par un petit chapeau très ordinaire... »

C'est à cet endroit que je cessai de bien comprendre. « Un petit chapeau très ordinaire... » Je terminai le paragraphe. « Un petit chapeau... » Je voyais ce mariage dans trois ou quatre mois, c'est-à-dire que je ne le voyais pas du tout, que je pouvais encore escompter le fortuit, espérer la complicité du hasard, la pitié du sort, et le chapeau était déjà acheté. Je lus mécaniquement les considérations fraternelles pour venir buter sur le post-scriptum qu'elle avait ajouté deux jours après avoir écrit le corps de la lettre, ayant attendu pour me l'envoyer, disait-elle, de pouvoir me dire le jour exact de son mariage.

« Je me marie demain. Cela a été indécis jusqu'à la dernière minute... »

Il était six heures du soir. Elle était mariée depuis le matin. Hier, après avoir tout préparé pour le lendemain, elle avait déposé cette lettre dans la boîte au coin de sa rue. Elle avait voulu — c'était trop évident car un mariage n'est pas indécis jusqu'à la dernière minute — que je ne l'apprenne que trop tard. Trop tard pour quoi ? J'étais si effondré que je n'imaginais pas ce qu'elle aurait pu craindre de moi. Maintenant, elle était quelque part, en voyage de noces, avec ce jeune mâle qu'elle s'était offert. J'aurais donné beaucoup pour savoir où ils étaient. Non pas que j'eusse voulu les y poursuivre. Je n'avais pas, à ce point, perdu le sens du ridicule. Mais j'aurais moins souffert de les savoir dans une grande ville que dans quelque coin perdu où un couple d'amants n'a, comme divertissement, que lui-même. J'appris, plus tard, qu'ils ne s'étaient refusé ni l'un ni l'autre. Thébaïde et Capharnaüm. Tout cela en cinq jours. Je vois bien là l'image de leur insatiabilité. Qu'ils étaient avides et qu'ils avaient raison de l'être. Au reste, qu'eussent-ils fait de la modération ?

Pendant que je lisais cette lettre, le téléphone sonnait, sonnait, s'arrêtait de sonner pour recommencer presque tout de suite. Je finis par répondre. Je n'avais pas pensé qu'il pût s'agir des journalistes et je fus d'abord furieux. La nouvelle se répandait, malgré l'intimité de la cérémonie, et on n'avait que moi à qui poser des questions. La voix me manqua un peu pour répondre au premier d'entre eux. Puis, je m'y fis assez vite. Au deuxième, je donnai tous les renseignements qu'on me demanda : l'heure, le lieu, les témoins. Au troisième, je racontai de moi-même, sans qu'il me le demande, où et quand ils s'étaient connus. J'eus presque l'air de placer l'événement sous mon aile. On aurait pu croire que, lassé de Gabrielle, je lui avais trouvé un mari. Je m'entendais parler d'une voix gaie, légère, faire un petit laïus sur le talent de Mme Lubin « que le mariage éclairera peut-être d'un jour nouveau ». Après ce troisième appel, je débranchai l'appareil, me servis, comme me l'aurait conseillé Castillo, un triple whisky, m'installai dans mon bon fauteuil, et attendis qu'il fût assez tard pour me coucher.

Le lendemain matin, je pus lire à loisir les comptes rendus de mes trois conversations téléphoniques. Même dans les autres journaux, on publiait, au moins, la photo de Gabrielle. Certains d'entre eux avaient retrouvé celle de ses débuts. D'autres reproduisaient des photos prises à des événements littéraires où l'on me voyait à côté d'elle. Où s'arrêtait la nécessité, où commençait l'intention perfide ? Je n'en étais plus à me demander cela : je voyais des intentions perfides partout.

Bien plus que de ma peine, j'ai gardé de ces jours-là un souvenir d'ennui profond. J'avais borné ma vie, je l'avais toute agencée autour d'un seul être. J'étais seul, désespérément. Qui inviter, qui aller voir avec qui mon humiliation n'eût pas été ce tiers gênant qui paralyse ? Je n'avais plus d'amis intimes, devant qui on peut souffrir tout bêtement. Je tournais en rond chez moi. Manger, si peu d'appétit que j'eusse conservé, m'était devenu un problème. Tout m'était problème. Je craignais toujours de tomber sur des gens de connaissance, d'avoir à répondre à leurs questions. J'allais dans des restaurants impossibles et, ce faisant, j'avais le sentiment de m'enfoncer, tous les jours un peu plus, dans une attitude dont je ne saurais plus comment sortir. Puis, je revenais chez moi pour, encore, tourner en rond.

Je lisais aussi. Si on peut appeler ça lire. J'avais pris l'habitude, après le départ de Castillo, d'apporter chez moi des romans d'une édition populaire que nous publiions. Je m'y plongeais systématiquement, comme on boit pour oublier. J'avais bien essayé de lire autre chose, mais un peu de profondeur, une trace de philosophie, une description un peu longue, un peu poétique, et je n'y étais plus. Si les malheurs des héros n'étaient pas assez accablants, je me tournais tout de suite vers les miens. Je me souviens, entre autres, de l'interminable histoire d'une famille, tous gens de cheval, ne se mariant qu'entre eux, ne se trompant qu'entre eux, cédant, je suppose, aux exemples du haras dont ils s'occupaient. Toutes ces péripéties m'intéressaient suffisamment pour que je veuille savoir comment cela finirait. Je n'en demandais pas plus.

Un soir, pendant le voyage de noces de Gabrielle, Corinne m'appela au téléphone.

— Ce que vous faites est idiot, me dit-elle. Venez au théâtre, montrez-vous, faites quelque chose. De quoi avez-vous l'air ?

— J'ai l'air cocu, Corinne. C'est évident.

— Eh bien ! justement, il ne faudrait pas trop insister. Venez, je vous attends.

Lorsque j'arrivai dans les coulisses, chacun m'accueillit comme si on m'y avait vu tous les soirs. J'étais embarrassé : je me demandais si Gabrielle y avait amené Bullard. Corinne, que je questionnai à ce sujet, prétendit qu'elle n'y avait été que seule. Mais comment ajouter foi aux assurances de cette fille charitable ? Je me tins près de la scène, côté jardin, par où elle faisait toutes ses sorties. A chacune, elle me tombait dans les bras, me nouait ses deux petites mains glacées sur la nuque, m'imprimait la marque de sa bouche sur la joue, me l'essuyait de son mouchoir. Toute une joyeuse mise en scène qui voulait laisser croire que j'étais celui à qui elle désirait faire hommage de son succès.

On faisait relâche le lendemain, aussi personne n'était pressé d'aller se reposer. Elle exigea que j'aille souper avec eux. Elle s'assit près de moi et n'eut de cesse qu'elle laisse entendre que nous étions au mieux, et ce, depuis assez longtemps. Elle avait trouvé ça, dans sa petite tête, pour panser ma vanité. Aussi quand nous nous séparâmes, me la laissa-t-on à reconduire.

— Je n'ai pas sommeil, dit-elle en montant dans ma voiture. Vous m'emmenez chez vous, boire un jus de fruits ?

Quand elle eut son verre en main :

— Pourquoi avez-vous raconté toutes ces histoires pendant le souper, Corinne ?

Elle frappait doucement le cristal contre ses dents, trop occupée de ce bruit léger pour me répondre, semblait-il. Puis, se tournant vers la fenêtre où la ville s'éteignait, de sorte que je ne voyais plus d'elle que son dos mince, ses épaules nues couleur de pêche :

— Il y a si peu entre le faux et le vrai. Un moment de courage ou de faiblesse. Le besoin d'être consolé, celui de s'étourdir, de se venger, ou bien celui d'être honnête et tout est différent.

Elle revint vers le divan où j'étais assis, souleva un peu les bras et, la tête penchée, le regard tourné vers elle-même, souffla d'une petite voix inquiète :

— Ça n'est pas flatteur, non ?

Je fis alors ce qu'avec Gabrielle je n'avais jamais pensé à faire : je la pris sur mes genoux. Elle était légère et chaude. C'était agréable. Pourtant je ne me sentais qu'amical, vidé de tout désir, tari, désert.

— Vous n'aimez pas Gabrielle, Corinne ?

— Je ne la hais pas. Je ne l'aime pas non plus. Elle a été gentille avec moi. Elle me le devait bien. Nous sommes quittes.

— Pourquoi, l'autre jour...

— Je ne sais pas. Disons que vous me plaisez et que je vous considérais comme un homme déjà libre. Je vous fais du mal ?

Oui, elle me faisait mal. Je croyais Gabrielle fortement attachée à moi et, déjà, ces liens étaient si élimés, ne tenant plus que par l'immobilité où nous vivions, que chacun pouvait s'en rendre compte.

Corinne laissa tomber sa tête sur mon épaule puis, au bout d'interminables minutes de silence, elle me tendit sa bouche. Je l'embrassai sans désir, parce que je ne voulais pas faire l'imbécile une deuxième fois, parce que je ne voulais pas laisser échapper cette possibilité d'oubli, parce que j'espérais que l'envie que j'avais eue d'elle me reviendrait. Toutes mauvaises raisons pour embrasser une femme et qui se révélaient, à mesure que le temps passait, de moins en moins valables. Je m'acharnais, pourtant. Nous fûmes bientôt engagés au milieu de ces caresses qui précèdent l'amour, ce piège dont il n'y a pas deux façons de se tirer, et j'avais beau m'interroger, me cravacher, tout n'était, en moi, que glace et silence. Ah ! la gentillesse des femmes à ces moments-là, leur patience surtout ! Un chapelet d'injures eût, je crois, mieux fait mon affaire.

Elle ne m'en a pas gardé rancune. Nous avons continué de nous voir, en copains. Je ne sais combien de fois elle a caché, par sa présence, l'abandon où j'étais, cette lèpre. Chaque fois que je risquais d'avoir l'air trop délaissé, elle a été là, à mes côtés, avec une merveilleuse gratuité. Il n'est pas facile à une femme de comprendre que le passage d'une autre, puis son défaut, vous ont laissé impropre à l'amour, que vous ne pouvez plus servir à personne, que ce traumatisme a fait de vous un être creux, de qui le cœur est devenu inabordable et dont le corps s'est tu. Eh bien ! cette enfant a tout de suite compris, cette enfant frivole de qui la préoccupation capitale semblait être la longueur de ses cils ou le brillant de sa chevelure.

Gabrielle revint en ville le surlendemain. En passant dans sa rue — j'y passais plusieurs fois par jour — je vis de la lumière aux fenêtres. Trois semaines avaient suffi, et les événements qui les avaient remplies, pour que cette lumière ne m'immobilise plus, pour rendre inutiles toute station angoissée, toute attente, tout besoin de savoir. Je poursuivis ma route, non pas heureux, mais soulagé de la savoir près de nouveau.

A six heures, elle m'appela au téléphone. Elle avait rencontré, pendant son voyage, des éditeurs, des critiques. Elle voulait me voir pour me raconter tout cela et elle m'invita pour le lendemain. Je ne lui demandai pas de nouvelles de Bullard, mais elle crut bon de terminer son appel par un « Michel te dit bonjour. » Je répondis : « Merci » tout sec. Comme si cela pouvait changer quelque chose. Ce qu'on est bête. De si petites vengeances, vraiment, quand les vraies, les efficaces, vous répugnent ou vous effraient. Tout cet étalage de faiblesse.

Deux minutes avant neuf heures, le lendemain, j'arrivais devant sa porte. En sortant du bureau, j'étais passé chez le fleuriste et j'avais fait envoyer une gerbe un peu exagérée, je pense, si j'en juge par le nombre de vases qu'elle remplissait et le sourire en coin de Gabrielle quand elle me remercia. J'avais été chez le coiffeur et je l'avais laissé, car il m'assurait que « monsieur a le visage un peu fatigué », m'étouffer sous les serviettes chaudes, m'étourdir de vibrations électriques, m'endolorir de pincements divers. J'étais sorti de là avec un teint de jeune Anglais, comme un derrière de nourrisson. J'avais mis mon plus beau complet, une cravate neuve. De sorte que j'arrivai chez elle, à cet appartement dont j'avais encore la clef au fond de ma poche, comme un monsieur en visite. Un étranger cérémonieux. Bullard avait une chemise à col ouvert, des sandales sport, l'air terriblement chez lui. Il avait les cheveux ébouriffés. Gabrielle aime bien tirer les cheveux. Il avait l'air du beau chenapan qu'une dame a pris comme amant de cœur. Moi, je ressemblais avec mon complet impeccable, ma pochette discrète, mon aspect bien léché, à l'ancien ministre des Affaires étrangères dans le cabinet anglais, avant ses coups durs.

Ce fut très cordial. Pas trace d'embarras. Je m'assis dans mon fauteuil. Nous parlions tous beaucoup. Comme si rien n'était arrivé. Mais, par la porte ouverte de la chambre, j'apercevais des sacs de voyage pas encore rangés. Sur les tables du salon, il y avait des pipes, des paquets de cigarettes d'une marque inhabituelle, des journaux que nous ne lisions jamais. Dans le hall, des clubs de golf. Un veston sur un dossier de chaise. Toute une présence envahissante. Je me rendis compte, soudain, que tout en parlant, Gabrielle rangeait, rangeait. Désormais, c'est souvent adonnée à cette occupation que je la verrai, chez elle. Rangeant, dissimulant, rompant à mesure les erres du mâle. Alors que cette présence lui était encore si précieuse, elle renâclait déjà sur les traces qu'elle laissait. Je crois que, sans s'en douter, et tout au début, elle a commencé à la secouer d'elle, cette présence, à la rejeter. Son être profond ne l'a jamais acceptée. Elle l'a subie avec malaise, comme une perversion à quoi l'on ne serait pas naturellement enclin, où l'on serait tombé par surprise.

Il ne me semble pas que je me trompe, quand je présume que ces rencontres d'éditeurs avaient eu lieu à l'instigation de Bullard. Je n'avais qu'à repenser au visage déçu de Gabrielle lorsque je m'étais immiscé entre eux, le soir où nous avions dîné ensemble, pour imaginer qu'elle n'avait pas désiré d'interruption à leur solitude.

Ce n'est que bien plus tard qu'elle et moi avons abordé ce sujet : les délimitations de l'intérêt et de l'amour chez son mari. Ainsi, cet appel téléphonique si hâtif, ce n'est pas à elle que je le devais, j'en suis certain. Elle en était encore à ce stade de l'amour où tout tiers vous est ennemi et il aurait dû en être de même pour Bullard. Je ne dis pas qu'il n'aimait pas Gabrielle. Je crois qu'il l'a aimée, quelque temps, à sa manière qui n'était pas la manière gratuite. Le parti qu'il y avait à tirer de cet amour, il l'avait tout de suite reniflé. Il avait pressenti, et c'était le plus difficile, qu'il fallait vivement en profiter, que ce moment si propice de l'affolement du cœur et des sens, où elle était, serait fatalement écourté, qu'avec lui, elle prendrait conscience de ce qui, en elle, lui interdisait les hommes de son espèce et qu'à partir de ce moment, il n'en pourrait plus rien tirer.

Ce soir-là, elle était toute coopération. Ces gens qu'ils avaient vus, et qu'elle connaissait tous, plus ou moins, pour les avoir rencontrés à mon bureau, lui avaient proposé de publier des traductions de ses œuvres. Et qui se chargerait de la traduction ? Bullard. Cela ne se pouvait faire par-dessus mon dos, naturellement. D'où cette étrange invitation, d'où cette habile redistribution des rôles qui, en trois semaines, me faisait passer de celui d'amant à celui d'ami du ménage. Je n'en blâme pas Gabrielle. Au fond, malgré quelques flambées, il y avait longtemps qu'elle ne me considérait plus que comme son ami. Elle a trouvé presque naturel de continuer à me voir. De là à faire servir cette amitié au bénéfice de son mari... Chacun connaît l'extraordinaire duplicité, j'allais dire la naïve duplicité, à quoi peut atteindre une femme amoureuse.

Tout cela, elle a, dès le lendemain, commencé de me l'expliquer au téléphone. Par touches légères. Sans creuser. Précautionneuse. Le temps n'était pas encore venu où, tous deux délaissés, avec nos deux amours désœuvrées, nous passerions des heures à découvrir nos plaies, à les gratter, à les lécher. Où nous irions tous deux si loin dans le sens de l'aveu et de la franchise, que nous en resterions parfois frappés de honte et silencieux pour de longs jours. Ce matin-là, elle ne me parla que de l'habitude qu'elle avait de moi et de sa répugnance à la rompre. Je ne la croyais qu'à demi. Quand ils auront obtenu ce qu'ils veulent, ils me laisseront tomber, pensais-je ; et comme, au fond, je n'avais envie que de vivre le plus près possible de Gabrielle, à n'importe quel titre, je résolus de ne dire ni oui ni non, de laisser traîner, d'accepter le plus tard possible, quitte à refuser les traductions de Bullard. Quitte à les publier aussi. Si elles étaient publiables, pourquoi non ?

C'est ainsi qu'une fois par semaine, à peu près, les premiers temps, puis de plus en plus souvent, je revenais dans cette rue et que je stoppais ma voiture sous ces mêmes fenêtres. Pas une fois que je n'aie pensé, avant de monter, à la nuit passée là.

J'arrivais. Gabrielle m'ouvrait la porte. Je m'asseyais dans mon fauteuil. Bullard mettait souvent quelques minutes à venir nous rejoindre. Rien n'était changé. Nous étions là, tous les deux, au chaud, au milieu de notre décor, avec nos habitudes. Je sentais mon chagrin qui s'ensommeillait. Une sorte de ronron m'hypnotisait : la forme du verre familière à ma main ; le dossier du fauteuil qui reconnaissait mon dos et se creusait à sa largeur ; la couleur des murs et des rideaux, un mauve léger, qui entourait Gabrielle comme un vêtement seyant ; et, mauve aussi, son parfum de lilas mouillé.

Ainsi un sinistré revient-il, parfois, s'établir dans les ruines de sa maison. Il s'arrange un petit coin dans le creux de la cave. Il retrouve, dans les débris, quelques objets, quelques humbles témoins qui l'empêchent de croire qu'il n'a jamais eu de maison, choses sans valeur à côté des richesses qu'il a perdues, mais à quoi il s'accroche, puisque le couteau rouillé, la casserole bosselée, ne sont plus ni couteau ni casserole, mais symboles, preuves, reliques.

Puis, mes yeux étaient sollicités, malgré moi, par le désordre que Bullard laissait toujours derrière lui. J'essayais de ne pas m'éveiller. Je me détournais, et c'était pour le voir entrer dans la pièce. Il m'empêchait bruyamment de me lever, se mettait à parler sans arrêt. Gabrielle et moi pour nous nous taisions. Forcément. Elle se levait, se mettait à ranger. Tout reprenait son poids, son inéluctabilité. Les tenailles se refermaient.

La main sournoise qui me serrait la gorge assurait son étreinte, un instant négligée. J'avais repris mon statut d'ami du ménage. Mon petit coin dans le creux des ruines.

Trois semaines après leur retour, comme je montais l'escalier deux marches à la fois, pressé que j'étais de goûter à cette mince portion de bonheur qui était tout ce à quoi je pouvais prétendre maintenant, je me butai, dès le palier, à un barrage d'éclats de voix qui venaient de l'appartement. Plus les plaisirs vous sont petits et rares, moins on se résigne à les lâcher. Je m'étais immobilisé. La déception avait coulé en moi comme un plomb qui se figeait, me faisait lourd et tout bête. Mais je ne songeai pas à rebrousser chemin.

Gabrielle vint m'ouvrir, affairée, avec, aux lèvres, ce sourire résolu et crispé des gens qui sont en train de faire face à la situation.

— La famille. Je n'ai...

Bullard approchait et elle se tut. La sensation brève et joyeuse d'une modeste complicité. Présentations. L'éditeur de ma femme. Mais comment donc ! Que voilà un joli titre pour un amant qu'on a négligemment écarté. Je serrais des mains. Je m'inclinais. Lucile et Denis Bullard. Louise et Marc Bullard. Le jeune André Bullard. La petite Yvette Bullard. On m'expliquait, qu'en outre, les Denis Bullard avaient une fille, Pauline, qui n'avait pu venir et que les Marc Bullard avaient un fils au berceau, prénommé Michel, comme son parrain, et qu'à cette heure, il dormait sous l'œil vigilant d'une gardienne de tout repos, le chérubin.

C'est la tribu Bullard qui se chargeait de ces explications. Pour sa part, Gabrielle semblait ne pas encore très bien s'y reconnaître. Pas plus que moi, elle n'avait été habituée à ces envahissements familiaux. Elle avait peu de parents et ils vivaient tous au loin. Durant les dix années de notre liaison, ils ne s'étaient manifestés que discrètement. J'avais mémoire qu'une dizaine de fois, elle m'avait dit : « Demain, je déjeune avec ma belle-sœur, ou mon frère, ou ma cousine, qui est en ville. » Ayant peu l'habitude de la voir à l'heure du déjeuner, je n'étais pas frustré par ces apparitions du clan Lubin. Ils rentraient promptement dans leur néant. Pour ma part, j'étais fils unique de parents également enfants uniques tous les deux. Mon père était mort quand j'étais petit, et ma mère, peu de temps avant que je connusse Gabrielle. J'avais bien deux cousines issues de germains, mais comme j'avais eu des amourettes avec les deux, à l'âge des cousines, elles me battaient froid.

C'est dire que nous étions tous les deux ahuris par cette famille patriarcale. Tous ces Bullard nous étaient bêtes curieuses. Ils nous le rendaient bien, les femmes surtout, un peu simplettes et pour qui le métier d'écrire, quand il est si simple de vendre des chapeaux, ou de ne rien faire, semblait le comble de la complication.

Le jeune André, pour sa part, dévorait sa nouvelle tante des yeux. Il lisait, disait-il, beaucoup de romans psychologiques. Je le croyais facilement. Il avait, en lui parlant, cet air faussement modeste et secrètement optimiste qu'ont les jeunes gens qui viennent d'apprendre, dans les livres, que la femme de quarante ans est « en pleine possession de ses moyens » et « à l'apogée de sa féminité ». Gabrielle revêtait pour lui quelques menues plumes de la parure des amours. Juste ce qu'il fallait. Le jeune André buvait du lait. Il était touchant.

Puis, elle tenta de tourner ses grâces vers la demoiselle Yvette Bullard. Initiative qui fut accueillie par des hurlements de frayeur. Les mères répétaient à satiété : « C'est que vous n'avez pas l'habitude des enfants. » Comme si de répéter cela un nombre de fois suffisant eût pu apporter un remède à cette situation malheureuse. Seulement, comme ni l'une ni l'autre, je suppose, ne connaissaient le nombre magique, elles continuaient avec une patiente obstination. Mais le problème ne se résolvait pas et la mignonne hurlait toujours. Gabrielle s'était éloignée et parlait, maintenant, avec ces messieurs de la famille. L'enfant Bullard hurlait quand même. A la fin, je demandai de ma voix la plus douce :

— A quelle heure se couche-t-elle d'habitude ?

Il se révéla, d'un seul coup, que la petite était ordinairement mise au lit à sept heures, qu'il en était plus de neuf, que la mère ne me pardonnerait sûrement jamais ce rappel à l'ordre — elle me le fit savoir d'un unique coup d'œil — et que le jeune André nourrissait le rêve d'être invité par tante Gaby à passer la voir de temps en temps.

La porte refermée sur sa tribu, Bullard s'assit, alluma une pipe, se mit à parler dans le sens de l'avancement de ses affaires. Gabrielle rangeait. Et moi, les oreilles fermées à tout ce que disait le mari, je me pris à l'aider sans trop m'en rendre compte.

Quand tout fut replacé « comme de mon temps », je m'assis en face d'elle et, au premier silence de Bullard, je regardai Gabrielle bien dans les yeux et lui demandai :

— Dis-moi, quand travailles-tu, maintenant ?

J'eus le temps de voir, de côté, que Bullard avait pris un visage très attentif. Pour sa part, Gabrielle m'offrit un regard où je lisais rapidement, tour à tour, la détresse, la rancune, le mensonge, l'irrésolution.

— Un peu le matin, finit-elle par dire. Je me lève tôt. Et puis, un peu l'après-midi, pendant que Michel écrit lui-même. Mais oui, je travaille...

— Je croyais que tu préférais écrire le soir.

— Oui... Eh bien ! je m'habitue à n'écrire que le jour, voilà tout. Le soir, tu comprends...

Elle avait, ce disant, un doux visage confus. Avec amertume, je pensais au temps lointain du début de nos amours quand elle n'acceptait de me donner que les soirées de week-end, réservant les autres pour son travail. Elle s'était tourné vers Bullard et le regardait amoureusement, la tête penchée vers l'épaule, de ce mouvement qui dégage le plus émouvant du cou. J'avais voulu blesser et cela se retournait contre moi.

— Vous croyez que j'empêche ma femme d'écrire, dit Bullard la voix sèche.

— Pas du tout. Mais je crains que ces changements d'habitude altèrent la qualité de son travail. Vous connaissez aussi bien que moi, Bullard, la part de la routine, de la discipline, chez l'écrivain.

— Dût mon travail en souffrir un peu, je t'assure que je préfère n'écrire que le jour. C'est une habitude que je veux acquérir depuis longtemps, quand ça ne serait que pour mes yeux. Tu me vois affublée de lunettes ?

Bullard prit un air bon prince.

— Si tu veux une soirée, de temps en temps...

Gabrielle se tourna vers moi.

— Tu crois que je devrais...

Et moi :

— Oh ! tu sais, ce que j'en disais...

Chacun regarda les autres, tour à tour. Nous venions, tous les trois, de baptiser libéralement notre vin. « Distribution d'eau » comme disait Castillo.

Cette pauvre Gabrielle. C'est moi qui me mis à rogner ses précieuses heures de travail, cherchant — et trouvant — cent prétextes pour lui téléphoner. Mais je voulais plus.

Un jour que je bâillais, révulsé d'ennui et de solitude, devant une table de travail encombrée, la promesse que je lui avais faite de publier sa pièce en édition de luxe me revint à l'esprit. Un petit espoir. Une petite possibilité.

Depuis son retour, mes prétextes à téléphoner étaient toujours cousus de fil blanc, d'où un malaise extrême à le faire et d'interminables hésitations. Mais celui-là était cousu-main et puis, je ne demandais pas, semblait-il. J'offrais. Rien ne rend plus rusé, plus hypocrite que l'amour. Ce sentiment, qui est censé être le plus grand de tous, nous fait faire, sans honte, les choses les plus petites et les plus mesquines. Maquiller ma mendicité de la couleur de la générosité, provoquer Gabrielle à la reconnaissance quand c'était moi qui recevais, quelle importance ? Je voulais la voir. Je voulais être seul avec elle, quatre murs clos autour de nous. Je voulais lui parler cœur à cœur, comme il m'avait été loisible de le faire pendant des années, sans que j'en aie, me semblait-il maintenant, suffisamment profité. Même si elle m'arrivait le corps fourbu d'un autre, les paupières meurtries, traînant sur elle, mêlées à son parfum familier, des odeurs nouvelles. Même si je savais que, sans cesse, ces conversations seraient refroidies et trouées par le nom de Bullard.

Dès que j'eus expliqué le motif de mon appel, sa voix changea. Spontanément, le « chou » de nos amours lui revint.

— Chou, répétait-elle, chou, tu ne peux pas savoir. Il y a si longtemps que je n'ai publié et j'en étais si malheureuse.

Comme je lui demandais de venir à mon bureau le lendemain, elle devint impatiente.

— Tu ne veux pas que j'y aille tout de suite ?

Tout de suite ? Je n'avais eu le temps de rien préparer. Au fond, tant mieux. Moins nous réglerions de détails aujourd'hui, plus souvent nous aurions à nous revoir. Je ne fus pas peu fier de ma façon de m'en tirer.

— Avant de rien décider, j'ai voulu attendre que tu me dises comment tu l'imagines, ce livre.

Le sourire ravi, la pression de main, les mots émus, tout m'était bon à recevoir.

Elle voulut d'abord savoir si je croyais au succès financier de cette publication. Mais bien sûr. Tandis que je pensais : « Je me moque bien du succès financier. Je n'y gagnerai pas d'argent. Je n'en perdrai pas non plus. Ou je me trompe fort, ou je ferai tout juste mes frais. Tu vois, je ne te fais même pas un cadeau. Je ne le fais pas, non plus, pour te plaire. Je le fais pour te voir, Gabrielle, pour te voir toute seule. »

Nous avons parlé publication pendant une demiheure. Puis, peu à peu, s'établit une amicale conversation que je m'évertuais à faire durer malgré ses regards dérobés à la pendule, les interruptions du téléphone, les irruptions de Barbara. Quand elle me quitta, l'après-midi s'achevait et nous avions rendez-vous pour le surlendemain.

Je me montrai, sur le choix du papier, le genre de reliure, le format, la correction des placards, si vétilleur ; je changeai et la poussai à changer, elle aussi, si souvent d'avis, que je parvins à faire durer mon triste plaisir pendant des mois, insensible à son impatience, attentif seulement à ne rien abréger.

Lors d'une de ses visites à mon bureau, je remarquai qu'elle avait, sous le bras, un cartonnage à feuilles libres sur quoi elle tenta maladroitement d'attirer tout de suite ma curiosité. J'avais compris en le voyant et ne fis rien pour soulager son embarras. Puis, comme je m'apercevais qu'au lieu d'aller vers moi, toute son attention tournait autour de la mission qu'elle s'était donnée et que la pitié me prenait à voir son tourment augmenter à mesure que le temps passait — elle savait bien que je pouvais, dans l'état où je la voyais, la forcer à n'en pas parler — je m'emparai de l'objet.

— Je le lirai dès que je pourrai.

Elle se leva et vint m'embrasser sur la joue. Je crois que si je lui avais pris la tête dans mes mains et m'étais emparé de sa bouche, elle se serait laissé faire, tant était aigu son désir de retourner chez elle victorieuse.

Le manuscrit de Bullard, que j'ai eu la faiblesse de lire jusqu'au bout, de louer, et finalement de publier — bien remanié il faut le dire —, je le garde avec ceux de Gabrielle. De ma table de travail, je peux voir son cartonnage fatigué. Avec lui s'exerce, plus que jamais, cette manie que j'ai de conserver les choses.

Tout comme j'avais fait, dix ans auparavant, pour le premier manuscrit de Gabrielle, j'emportai celui-ci chez moi. Pour lui, je refis les mêmes gestes : le glisser dans ma serviette au moment de quitter le bureau, placer la serviette près de moi, dans la voiture. En y jetant un coup d'œil, pendant le même parcours, je me souvins soudain — mémoire de la rétine — que les banquettes de la voiture que j'avais, en ce temps-là, étaient bleues. Je revoyais la teinte exacte, avec la tache fauve du cuir, et j'avais, chaque fois que j'abaissais les paupières, une angoisse, la sensation que quelque chose n'allait pas, le sentiment que la réalité refusait de se conformer au rêve.

Arrivé chez moi, je m'installai tout de suite à ma table de travail. Je brûlais de le trouver stupide, ce manuscrit. J'étais sûr que, dès la première page, j'aurais dix raisons de me tenir les côtes. Je me voyais déjà, crayon rouge en main, indiquant à Gabrielle les bévues dont il était farci. J'étais déjà tout plein d'une mauvaise jubilation. Elle aurait un visage humilié en écoutant mes consolations : « Tout le monde ne peut pas avoir du génie, ni même du talent. L'amour t'a aveuglée. »

Bullard n'avait pas de génie. Mais il avait un certain talent, un style propre, dur. De l'émotion, un peu de fougue, le battement du sang sous les mots, et c'eût été très bien. Mais il écrivait avec de l'eau froide.

Il avait imaginé une très bonne histoire, il ne l'avait pas sentie et, quand ses héros souffraient, il était bien content de n'être pas dans le coup. Rien à voir, pourtant, avec la dureté de Gabrielle. La cruauté n'exclut pas le feu. Si j'avais souhaité souvent plus de tendresse dans ses livres, c'était un souhait d'amant, c'était parce que je m'imaginais qu'ils m'étaient tous dédiés ces livres, ce n'était pas un souhait d'éditeur.

Elle téléphona dans la soirée, parla de choses et d'autres, tourna autour du pot. J'entendais Bullard chuchoter à côté d'elle. Elle avait la conversation décousue de qui se partage entre deux interlocuteurs. Pour être celui que l'on écoute, il ne me restait qu'à parler de lui. C'est un parti à quoi je dus me résoudre si souvent par la suite. En aurais-je passé des heures à discuter le cas Bullard, en tournant une petite cuiller dans un tasse de café refroidi. Les premières fois, c'était difficile, puis j'ai fini par posséder mon sujet.

Quand elle revint à mon bureau, presque toute l'heure de sa visite fut consacrée au manuscrit de Bullard. J'avais beau essayer de nous cantonner dans notre projet à nous, tout lui était prétexte à me ramener à sa préoccupation essentielle. Je résistai un peu, puis je me dis qu'elle était là, quand même.

Déjà, je percevais qu'elle ne comptait plus seulement sur elle pour le garder, mais aussi sur ce qu'elle pouvait pour lui. Déjà commençait la série de coups d'épaule qu'elle ne cesserait de lui donner avec mon assentiment, mon aide, puis ma complicité et qu'il accepterait, qu'il exigerait. Comme un salaire. Toute à l'enthousiasme de ce début d'amour, elle croyait encore se dévouer quand elle avait commencé à servir.

J'avais rapporté le manuscrit. Il était là, dans mon tiroir. Je dis d'abord le bien que j'en pensais, en termes mesurés. Dès qu'il s'agit de critiquer, je la vis se raidir, apprêter ses ripostes, se préparer à ne rien admettre. A la fin, j'ouvris le cahier.

— Ce manuscrit, tu l'as lu comme moi. Je suis sûr que, comme moi, tu as senti cette incapacité à s'émouvoir...

Et je me mis à lire le passage qui, selon moi, souffrait le plus de cette carence. Elle m'arrêta presque tout de suite.

— Comme tu es injuste. Aucun texte ne pourrait résister à la voix glaciale que tu prends. Je vais te le lire, moi.

Ce qu'elle fit. D'une façon intolérable. La voix basse, veloutée. Faisant la cour à chaque mot. Je sentais la colère qui me montait et le dégoût. Je ne pouvais pas lui reprocher le choix du passage, c'était celui que j'avais lu, exprès. Mais d'entendre Gabrielle dire, avec cette voix, les dialogues amoureux de Bullard, j'avais l'impression de les regarder faire. Je criai : « Assez ». Elle tourna vers moi un regard sans surprise. Elle était rouge. Refermant le cahier, elle le plaça sous son bras.

— Alors, c'est non ?

Avec quel plaisir j'eusse répondu : « C'est non. » Mais je ne m'étais pas engagé dans cette discussion sans avoir réfléchi. La tentation du refus, j'en avais fait le tour, j'en avais prévu les risques. Je savais que Bullard trouverait facilement une autre maison pour publier son livre tel quel. J'imaginais la publicité qu'on serait trop heureux de faire au mari, dans l'espoir d'attirer la femme. Je pressentais le petit parfum de scandale qui ne manquerait pas de flotter autour de cet événement. Je soupçonnais Bullard de n'être pas opposé à ce genre de publicité. En tout cela j'aurais l'air de celui qu'on a plaqué et qui se venge. Surtout, il y avait le contrat de Gabrielle, expiré depuis la publication de son dernier volume, que j'avais oublié de renouveler avec tous ces bouleversements. Si Bullard l'y poussait, elle était libre de publier ailleurs.

Au fond, toute stratégie inutile. Je ne voulais d'aucun différend entre eux et moi. Mais je ne voulais pas, pour autant, me refuser le plaisir de dire ma façon de penser, ni celui de peser le pour et le contre. Comme si j'avais été libre. Comme si on était libre de négliger la dernière joie qui vous reste.

— Ecoute, j'accepte de publier le livre de ton mari. Mais je voudrais qu'il le revoie un peu. Qu'il y introduise un peu de chaleur humaine.

Son visage s'adoucit et mon démon me reprit.

— Cela devrait lui être facile maintenant.

Elle fit celle qui n'avait pas entendu. Tous deux, ayant pour cela chacun ses raisons, pouvions devenir sourds chaque fois qu'il le fallait.

Il était, quand elle me quitta, trois heures environ. A quatre heures, Bullard me téléphonait pour m'inviter à dîner avec eux, au restaurant où nous nous étions déjà rencontrés. Il semblait, lui aussi, prêt à tout accepter. Il y avait de la soumission dans sa voix.

Quel trio sordide nous formions. Chacun avec ses intérêts, avec ses mensonges, et les plus absurdes des mensonges. Ceux que l'autre connaît aussi bien que les siens propres, mais qu'il feint de croire ou d'ignorer, parce qu'il est sous-entendu qu'à ce prix, on lui rendra la pareille. Nous les proférions sans broncher. A peine y avait-il un peu de flottement, de temps en temps. Deux d'entre nous étaient encore novices à ce jeu. Mais chacun nous faisait la partie si facile, que nous apprenions vite. Le rythme de nos phrases, un instant renversé, s'ajustait de nouveau. Nos regards, un instant détournés, se reprenaient. Nos buts différents, vagues ou précis, proches ou lointains, redevenaient accessibles. Nous étions prêts à payer le prix. Tous les trois.

Ce fut Bullard qui attaqua. Il avait plus d'impatience que moi. J'avais bien essayé, pour plaire à Gabrielle, de placer la phrase initiale, mais j'y éprouvais une difficulté insurmontable. Rien de ce qui me venait ne me semblait assez mesuré. Nous n'étions pas un auteur et un éditeur avec, entre nous, un livre à publier ou non. Nous étions deux hommes pour qui l'enjeu était pour l'un le souci d'arriver, pour l'autre la volonté de n'être pas complètement dépossédé, et j'admirais que ce vaniteux, ce sûr de soi, accepte de se soumettre, ou du moins prenne les dehors de la soumission, pour parvenir à ce qu'il voulait : la notoriété. Car, c'était, j'en étais certain, ce qui le poussait à écrire. Les accents inspirés par le feu sacré, je les connais. L'irrépressible besoin d'écrire, le quelque chose à dire qui ne souffre pas d'être tu, je sais comment cela se traduit. Il n'avait besoin que de faire parler de lui. Gabrielle l'avait déjà compris, depuis le début peut-être, et implicitement, elle lui avait promis son aide, sachant bien que là se trouvait sa séduction principale.

— Vous savez que je suis tout à fait prêt à revoir mon manuscrit. Cela a peut-être été écrit un peu vite. Je comprends très bien.

Trop aimable. J'avais envie de lui dire que la passion ne s'ajoute pas après coup à une œuvre dont elle est absente. Que si on ne l'a pas eue dans le feu du premier jet, c'est raté. Qu'on doit sentir sa présence, même les jours de stérilité, comme un animal familier qui dort parfois, mais qui est là. Qu'il faudrait plutôt être obligé d'en retrancher que d'en ajouter. J'avais envie de lui dire... Ne pas être complètement dépossédé.

— Vous me feriez plaisir. Votre roman est assez bien bâti. Le sujet est bon. La phrase est correcte. Je voudrais...

— Un peu plus de chaleur humaine, je sais.

Ce disant, il se tourna vers Gabrielle. Leurs regards se prirent. Elle avait bien fait mon message. A voir l'échange de ces regards, je pensais qu'elle avait, sans doute, ajouté ma propre réplique mais d'une voix câline : « Cela devrait t'être facile, maintenant. » J'étais là, entre eux, et j'attendais que cette lueur s'éteigne dans leurs yeux. J'étais l'huile sur leur feu.

— Vous savez que j'ai entrepris cette traduction dont nous avons parlé. Cela marche bien. Je suis très content.

Il était écrit que je ferais le bonheur de Bullard. Bientôt, tout ce qu'il aurait lui viendrait de moi.

A partir de ce soir-là, toutes les apparences de l'amitié s'établirent entre nous. Il était sans cesse pendu au téléphone, débordant de projets, m'extorquant des promesses, m'engluant de toutes parts. Derrière cela, miroitait l'illusion dont je me consolais. Il se passait, maintenant, peu de jours sans que je voie Gabrielle. C'était cela que je voulais. Je l'avais obtenu, il n'importe comment. Un nuage de lassitude, une cendre de tristesse, ternissait parfois son visage. J'en étais presque aussi heureux que si elle s'était dévêtue pour moi.

Des multiples projets qui nous occupaient, ce fut le livre de Bullard qui fut prêt le premier. Gabrielle m'en apporta le manuscrit, farci de corrections, six semaines seulement après ce dîner. Je l'ouvris au hasard. Elle me regardait intensément. La hâte qu'elle avait, l'appréhension. Autre chose aussi. Je me sentis, soudain, alerté. Une sorte de laideur, qui tenait à je ne sais quelles choses imprécises, s'était répandue sur son visage.

— Eh bien ? Tu jettes un coup d'œil ?

La voix aussi était laide.

Les corrections, quand elles étaient d'importance, avaient été ajoutées sur des feuillets annexés. Il y en avait beaucoup. J'en lus un, puis deux. Des chapitres entiers étaient refaits.

— Et toi ? A quoi travailles-tu en ce moment ?

— Moi ? Au roman que j'avais abandonné pour écrire ma pièce, tu le sais bien.

— Ça avance ? Où en es-tu ? Je veux dire : combien de pages ? Une centaine, je présume, depuis le temps. Il faudra que tu me montres ça.

— Tu ne m'as jamais demandé mes manuscrits en cours de travail. J'en ai une cinquantaine de pages tout au plus.

— Tu en avais quarante quand tu l'as laissé en plan. Tu as travaillé à autre chose ?

Tout était changé sur ce visage mouvant. Je n'y voyais plus qu'arrogance et défi. Aveu sans contrition. Acharnement, elle aussi, à n'être pas dépossédée.

— C'est un interrogatoire ?

Je lui remis le cahier.

— Je suis sûr que tout est parfait. Mettez-moi ça au propre.

Elle ne broncha pas sous le pluriel et, tout de suite, parla d'autre chose. Je ne pouvais répondre que distraitement. Ce qu'un homme peut obtenir d'une femme, tout de même. Comme elle m'eût méprisé si je lui avais, le cas échéant, demandé ce genre de service. Peut-être méprisait-elle Bullard, au fond. Les femmes s'accommodent assez bien d'une certaine part de mépris dans leur amour. Mais Gabrielle ? Et pourquoi pas ? Je la méprisais bien, moi, pour toutes ces compromissions et Dieu sait, pourtant, que je l'aimais à crier.

En partant, elle me tendit une main chaleureuse que je pressai entre les miennes.

— Je te suis tellement reconnaissante.

Reconnaissante ? Il y avait de quoi rire. Je venais de permettre qu'elle fasse une de ces choses qui pourrissent un amour. Elle croyait que cette complicité était un autre lien, encore un. La complicité n'est pas un lien. Un couple qui a tripoté dans la laideur ne s'en nettoie jamais et l'odeur de cette crasse finit par les suffoquer. Aussi l'avais-je laissée faire.

Je dînai chez elle, ce soir-là. Bullard avait une tête de triomphateur.

— Attention ! le chat n'est pas encore dans le sac. Attendons l'accueil du public.

Il ne m'écoutait guère. Il parlait sans cesse de « son bouquin ». Sans honte. Devant moi, passe encore. Mais devant Gabrielle... J'aurais donné beaucoup pour savoir ce qu'elle pensait pendant que Bullard pérorait et, pour fêter l'occasion, buvait plus que de raison. Elle avait des yeux battus que je connaissais bien. Je pensais qu'elle avait déjà touché sa récompense. La porte de la chambre était soigneusement fermée. J'y avait déjà laissé, moi aussi, de fameux désordres. Il semble que j'étais le seul à me le rappeler.

Aux jours qui suivirent, je repense souvent. Ce flamboiement chez Gabrielle. Elle avait donné à Bullard bien plus que ce qu'une femme peut ordinairement donner. Ce qu'elle avait fait pour lui, il était improbable qu'une autre puisse le recommencer. Elle en était toute soulevée mais avec, pourtant, un mélange de bravade et d'amertume. Lui n'était que celui qui a reçu. Cela se voyait. Lamentablement.

Après cette flambée, les cendres se mettront à retomber. Moi qui les observais avec passion, jour après jour, je fus le premier des trois à deviner ce progressif ensevelissement. Elle se croyait encore les bras encombrés d'amour et elle n'étreignait plus que quelques débris, ce qui reste après l'incendie, chauds décombres dont elle ne savait pas qu'ils iraient se refroidissant.

Il me fallait d'abord assister à la flambée. Bullard subissait au mieux cette recrudescence. Recrudescence n'est peut-être pas le mot. Il s'agissait plutôt d'une sorte d'addition, de surenchère. Elle avait donné plus qu'elle-même, elle avait donné ce à quoi il tenait bien plus qu'à l'amour. Elle s'était humiliée devant moi et, surtout, elle avait accepté que, devant elle, il se fasse petit, il se rabaisse, il demande aide et complicité. Elle avait accepté que je devine et que je juge. Pour la première et la seule fois de sa vie, elle avait touché le fond de l'abîme de l'amour féminin. Peu à peu, maintenant, elle remonterait vers ses surfaces et quitterait ses rivages.

Bullard sut admirablement profiter de ces beaux feux. Quand la pièce de Gabrielle reprit l'affiche, il obtint, malgré l'opposition du directeur de la troupe, d'y tenir l'un des meilleurs rôles, le plus facile mais le plus sympathique aussi. Le comédien qui avait d'abord tenu l'emploi, n'aurait été disponible que trois semaines après la date idéale. Bullard persuada tout le monde qu'on ne pouvait se permettre ce retard. Gabrielle le secondait avec furie. Le directeur, de guerre lasse, se laissa faire.

— Que voulez-vous, me dit-il, la pièce de Mme Lubin a fait et fera encore salle comble. Ça m'ennuierait de lui refuser ça. Bullard tiendra le rôle proprement.

Mais je n'ai aucun intérêt à pousser un comédien de sa trempe. J'ai même le sentiment de commettre une mauvaise action. Tant d'autres valent d'être poussés.

Et comme je lui demandais ce qui, selon lui, manquait à Bullard :

— Des tripes, me répondit-il.

Si bien qu'un jour, en feuilletant les journaux, je m'aperçus que les échos sur Bullard pullulaient dans toutes les colonnes à potins : son prochain roman, son prochain rôle, ses futures traductions. Il n'y en avait plus que pour lui et si, les premières fois, on écrivait volontiers « le mari de Gabrielle Lubin », on en vint vite à dire Michel Bullard. Ces journaux, il les épluchait avec soin — moi aussi, au reste — tout en feignant l'indifférence et l'étonnement.

— Je me demande où ils vont chercher leurs renseignements, disait-il en se frottant les mains.

Je crois bien qu'il les leur fournissait lui-même. Frayant sans cesse dans le monde du journalisme, ça lui était facile. Il semble que tout lui était devenu facile.

Ce fut à cette époque qu'ils se mirent à recevoir beaucoup. Cocktails, dîners, réceptions de tous genres se succédaient à un rythme vif. Tous les gens utiles défilaient dans leur salon. Je n'étais pas toujours invité quoique je fusse, de tous, celui qui pouvait le mieux servir. Mais j'étais déjà tout gagné à la cause, et c'était lui qui préparait les listes d'invitations.

Rajeunie d'artifices dont elle ne se souciait pas autant autrefois, elle recevait, toutes grâces déployées. Elle était assiégée par tous ces hommes que le mari ne faisait pas mine de tenir en respect, au contraire. Je sentais que le charme de Gabrielle faisait partie des atouts sur quoi il misait, et elle aussi le sentait bien. Je veux bien croire qu'il n'a jamais eu l'intention de jouer cette carte, mais il la montrait, négligemment ; il ne l'abattait pas, il la faisait miroiter. Et elle, cette femme autrefois si lucide, égarée maintenant, espérant je ne sais quelle improbable jalousie ou quelle superficielle consolation, cherchant à la fois à garder sa conquête et à être rassurée sur ses pouvoirs, jouait dangereusement de ces convoitises. Il m'arrivait alors, comme autrefois, de m'immiscer entre le convoiteur et elle. J'étais diversement accueilli, suivant les jours. Parfois avec de l'irritation. Parfois avec un sourire amusé qui nous replongeait des années en arrière.

Il arriva pourtant à Bullard, un jour, de manifester de l'inquiétude. Il ne l'avait pas volé. Bien sûr, il ne pouvait prévoir. Mais il y a de ces actes, insignifiants en apparence, qui sont tellement chargés d'horribles possibilités, que les commettre, même s'il n'y a pas de suites, prendre seulement le risque de les commettre, est déjà criminel. Il avait invité, et par le plus stupide des calculs, un ver de terre nommé Blondeau, qui écrivait des échos venimeux dans une feuille de chou.

Il est mort il y a peu de semaines, le malheureux. Je ne sais trop comment. Quelqu'un aura marché dessus. Bullard s'était imaginé qu'il serait fructueux d'amadouer cette petite gouape. Comme si l'opinion d'un ver de terre, aussi bien élogieuse que défavorable, avait une quelconque importance. A peine arrivé, il s'était mis à faire à Gabrielle une cour aussi poussée que la présence de trente personnes le permet. Il lui baisait les mains, lui serrait les bras, la touchait sans arrêt. Il la refoulait loin des autres invités, vers l'antichambre ou le corridor. Bullard, inquiet quand même, profita du premier prétexte venu pour prévenir Gabrielle contre Blondeau et lui demander de ne pas rester tout le temps seule avec lui. Ce n'était qu'un faux pas de plus. Elle le crut jaloux, enfin !

Le lendemain d'une de ces réceptions, ils m'invitèrent à passer la soirée avec eux. Je sentis tout de suite la poudre. Gabrielle avait les joues rouges, l'œil courroucé. Bullard arpentait la pièce, comme se croient tenus de le faire la plupart des hommes quand ils sont en colère. Ils ont tort. L'adversaire reprend force et courage chaque fois qu'il peut regarder un dos avec mépris.

— Excusez-nous, me dit-il, ma femme et moi avons une petite discussion...

Fort ennuyé, je me tournai vers Gabrielle qui ne disait rien. Maladroit comme pas un, Bullard continuait :

— ...à propos de cet appartement. Je le trouve trop petit, incommode pour recevoir. J'ai décidé de déménager...

Quand il prononça le mot « décidé », elle eut un recul du visage, comme sous une gifle légère. Quant à moi, c'est peu de dire que je n'étais pas d'accord. Ne plus venir dans cet appartement, quoique je souffrisse tellement de voir l'autre installé là où je n'avais eu que le droit de passage, m'apparut intolérable.

— ...et je pense que vous me donnerez raison.

Lui donner raison. Fallait-il qu'il soit bête.

— Et toi, Gabrielle, tu ne veux pas déménager ? Pourquoi ?

— Cet appartement me plaît. J'y suis habituée. Les tracas d'un déménagement apporteraient un retard considérable à mes travaux déjà bousculés. Voilà.

— Voilà ! Vous voyez cet égoïsme. Vous vous rendez compte ? Pas une de ces raisons n'est valable.

C'était moi qu'il prenait à témoin. Il avait crié si fort que Gabrielle avait porté les mains à ses oreilles. Il y eut comme un tournoiement de sentiments contraires sur son visage. Puis, elle le regarda comme on regarde quelqu'un à qui on dit adieu.

— Eh bien ! j'ai une autre raison. Beaucoup plus valable, celle-là. Je suis désolée d'avoir à en faire état. Je n'ai pas les moyens de payer plus que je ne paie ici. Et si je suis des semaines sans pouvoir travailler, je les aurai de moins en moins.

Ayant dit, elle se laissa glisser dans un fauteuil, les mains solidement accrochées aux accotoirs et attendit. Pas longtemps. Assez, toutefois, pour que j'aie le temps de penser que nous allions, elle et moi, passer cette soirée tête à tête. Bullard prit ses cigarettes sur une table, son veston sur une chaise. La porte claqua violemment. Nous étions seuls.

— Cette façon qu'il a de toujours enlever son veston, dit-elle.

Quand elle lâcha les bras du fauteuil pour tâter la cafetière, je vis que ses mains tremblaient.

— Le café est encore un peu chaud. Tu en veux ?

Elle tourna la cafetière pour que l'anse soit de mon côté et ramena ses deux mains indiscrètes entre ses genoux où elle les tint immobilisées.

Ce fut la première de ces nombreuses tasses de café bues en parlant de Bullard, à quoi je faisais allusion. Entre ces palabres, les intervalles furent d'abord assez longs (leurs amours suivant la courbe ordinaire des amours orageuses : disputes, fougueuses réconciliations, disputes de plus en plus fréquentes, réconciliations de moins en moins fougueuses), puis s'écourtèrent, se rétrécirent, fondirent jusqu'à ne se produire presque plus. Une brève éclaircie. Un sursaut de désir chez lui. Un reste d'humilité chez elle. Puis, ils retombaient dans la hargne coutumière.

— Ne nous égarons pas dans des histoires de veston. C'est vrai ce que tu lui as dit ? C'est toi qui...

— C'est moi qui... Et pas seulement l'appartement. Tout.

— Mais il gagne quand même quelque argent ? Les articles aux journaux ?

— Je ne sais pas. Pour comprendre, il faudrait que je le questionne. Je suis incapable de m'y résoudre. Je crains ce genre de discussions. Tu vois ce qu'il pourrait être amené à me dire. Et puis, tu sais, moi, l'argent... Tout à l'heure, j'ai été obligée d'en parler parce qu'il est vrai que je suis incapable de payer plus cher, et il était nécessaire aussi que je le dise devant toi. Il m'aurait harcelé tant que je n'aurais pas été persuadée que je pouvais le faire. Maintenant que cela a été dit devant témoin, peut-être qu'il n'osera plus.

— Comment peux-tu, Gabrielle ?

— Je t'en prie. C'est une question que je me suis cent fois posée et à laquelle je n'ai pas pu répondre.

Elle hésita un moment.

— A laquelle je n'ai pas voulu répondre parce que...

Elle prit une profonde respiration et se mit à parler d'une voix lointaine, le débit précipité.

— ...parce que je l'aime, comprends-tu ? Je sais qu'il ne le mérite pas. Je l'ai toujours su. C'est, je pense, pour ça que je me suis mariée si vite, pour ne pas avoir le temps que le bon sens me revienne. Ne crois pas que je t'en aie voulu de ne pas m'avoir épousée. Ne crois pas que je rêvais de mariage. Je n'y avais jamais pensé. Quand Michel m'a proposé cela, j'ai été comme un enfant à qui on offre un jouet dont il ignorait l'existence, un jouet d'un pays étranger. C'est un amour qui ne durera que le temps d'un jouet, je le sais. Je le sais aussi bien que si nous étions déjà séparés. Je sais que cela va m'être enlevé avant que je ne l'aie épuisé, même si j'y mets le prix. Quand il me prend dans ses bras, je sais que cela m'est compté, qu'il ne me reste plus qu'un nombre « x » de fois à être aimé de lui, que je suis en train de participer, non pas à une addition à notre amour, mais à une soustraction. Cette pensée m'empoisonne tout.

Elle se leva et vint s'asseoir sur un pouf, à mes pieds, tendit le visage.

— Tu ne trouves pas que je vieillis beaucoup, ces temps-ci ?

Je lui pris la tête dans mes mains et me penchai pour l'embrasser. Mais elle me frappa légèrement le menton du bout des doigts et se leva.

— Ça ne fait rien, dit-elle. C'est une bonne réponse, et elle se mit à rire.

J'avais été si près de l'atteindre que j'en restais le souffle coupé par quelque chose qui tenait, à la fois, du désir et de la colère, non pas la colère d'avoir été un peu giflé, mais celle d'avoir été frustré d'un bonheur qui m'avait semblé, pour une seconde, si imminent.

— Tu es plus belle que jamais.

— Oh ! tu sais, je n'ai jamais été très belle. Il y a ça aussi.

— Pas un des hommes qui étaient ici hier soir ne semblait de cet avis.

— Peut-être veulent-ils publier des livres, ou jouer au théâtre, ou se faire entretenir.

Elle s'assit et but avidement son café froid. Quand, très tard, je la quittai, Bullard n'était pas encore rentré. Deux jours après, ils s'étaient raccommodés.

Quelques jours plus tard, le roman de Bullard était en librairie. Il eut un assez vif succès de curiosité. En général, les critiques ne furent pas mauvaises. Une seule fit une allusion tant soit peu perfide : « La manière de M. Bullard semble, par à-coups, fortement influencée par celle de Gabrielle Lubin. » Il dit légèrement : « C'est un complet crétin », devant elle et devant moi, comme ça, sans vergogne, et se laissa ensuite aller, au moins dans notre intimité, à une joie qui n'était pas mince. Dans le monde, où il se produisait plus que jamais, il feignait un joli détachement.

Après cela, il partit en tournée, pour plusieurs semaines, jouer la pièce de Gabrielle. Craignant qu'elle ne veuille l'accompagner, je tentai de le persuader de remettre le rôle à Lucien qui l'avait créé. Je m'y employais depuis un bon moment, quand je la vis, debout derrière lui, me faisant de la tête un « non » impérieux. Je retournai chez moi, brassant sans retenue des rêves improbables.

— Tu comprends, je veux rester en ville et travailler, enfin. Depuis des mois, je n'ai presque rien fait. C'est tellement stupide.

— Travailler ? Alors, je ne te verrai pas ?

— Tu viendras lire, pendant que j'écrirai.

Cette conversation téléphonique matinale me remplit d'ivresse. Ivresse aussi ce que je goûtai auprès d'elle pendant ces courtes semaines.

Presque tous les soirs, nous allions d'abord dîner dans un petit restaurant où nous mangions plutôt mal, mais qui était discret, dès huit heures à nous seuls abandonné. Le patron, ravi de notre entêtement, essayait de parfaire notre conquête par de petits extras qui ne valaient guère mieux que le régulier, ignorant que ce que nous allions chercher chez lui n'était rien de comestible. C'était tout près de chez elle. Nous revenions à pied, bras dessus bras dessous, par les rues sombres. L'appartement était tiède et ne sentait plus que son parfum. Toute la soirée, la machine à écrire cliquetait à côté de moi. Elle me disait : « Ecoute ça un peu », et me lisait son dernier paragraphe. Je retrouvais la chaleur de la vie.

C'était peu ? Je n'étais pas déçu. Je n'avais pas espéré plus, mais ce peu, je l'avais espéré avec passion. Mon amour était redevenu un jeune amour, semblable à celui d'autrefois. Mais il y entrait une part de patience, d'obstination, de détermination à ne pas être rejeté — qu'importe pourquoi — le secret projet de la reconquérir, de l'engourdir dans cette tiède routine de travail et de tendresse.

La tournée théâtrale était d'abord partie vers l'est. Ce parcours accompli, elle devait revenir pour un week-end de repos, et repartir vers l'ouest. La perspective de cette interruption m'ennuyait. Elle m'ennuya encore plus quand Gabrielle décida d'attendre ce moment pour la sortie de l'édition de sa pièce. Je m'étais mis dans la tête que je serais seul auprès d'elle, ce jour-là, et j'avais bien un peu arrangé les choses pour que cela tombe pendant l'absence de Bullard. Il me semblait que les circonstances étaient favorables, que le temps était venu de le pousser, peu à peu, hors de notre vie, et que l'occasion eût été un bon début. Par toutes sortes de raisons, j'essayai de la convaincre de ne pas attendre.

— Pas question, me dit-elle d'une voix sèche.

Parce que j'entrevoyais la fin de ces amours, je voulais l'inciter à brûler les étapes. Gabrielle ne voulait rien brûler du tout.

Bullard était censé voyager de nuit et être là le samedi matin. A midi, elle me téléphona, me demandant si j'avais eu un appel de Corinne. Je ne savais trop où elle voulait en venir.

— Oui, Corinne a téléphoné.

— Sais-tu s'ils ont voyagé tous ensemble ?

— Je le crois. M. Bullard n'est pas rentré au bercail ?

— Ne te moque pas. Je suis inquiète. Je me demande pourquoi Michel n'est pas arrivé.

Sa voix était altérée. Qu'un peu de tourment resserre bien des liens qui se relâchaient. Elle avait vécu ces jours de solitude, détendue, soulagée d'un lest qu'elle ne souhaitait que rejeter. Mais ce poids faisait-il mine de glisser de lui-même, qu'aussitôt elle courbait le dos pour le rétablir. Allons ! j'essaierais de savoir ce qui se passait et je l'appellerais tout de suite.

Corinne hésita d'abord à parler : la tournée n'était pas finie, Bullard avait déjà des raisons de lui en vouloir ; s'il apprenait que c'était d'elle que Gabrielle tenait ses informations, il essaierait de lui faire perdre son rôle. Quand j'eus promis de dire que je ne les tenais pas d'elle, elle ne se fit plus prier.

— Au fond, je suis bien aise de pouvoir te raconter cette tournée. J'en ai gros sur le cœur.

Elle en avait gros, en effet. Quand, une demi-heure plus tard, je téléphonai de nouveau à Gabrielle, rien de ce que j'avais appris ne pouvait lui être répété.

— Tu as mis bien du temps pour ne rien m'apprendre, me dit-elle.

Voici ce que je savais : Bullard, après avoir poursuivi toutes les comédiennes de la troupe et — bien sûr, c'était la plus belle — surtout Corinne, après avoir été repoussé par toutes...

— Tu comprends, d'abord c'est le mari de l'auteur. Ensuite, il a chipé le rôle de Lucien. ...avait fini par lever une sorte de poule qui l'avait suivi partout et qu'il avait ramenée en ville. De là ce retard à revenir au domicile conjugal. J'aurais éprouvé un mauvais plaisir à rapporter cette histoire à Gabrielle. Mais je la voyais si inquiète que j'en avais pitié. De plus, cette inquiétude me blessait. Je ne tenais pas à l'aviver.

L'événement se fêtait à cinq heures. Je ne bougeai pas de l'appareil. « Je te rappellerai » m'avait-elle dit. Le téléphone sonna vers quatre heures.

— Peux-tu passer me prendre ?

— Bien sûr. Que se passe-t-il ?

Je fus surpris de l'entendre rire.

— Tu verras bien.

Je sautai dans ma voiture, pas très rassuré.

Elle vint m'ouvrir et je ne la reconnus pas. Pendant que je m'inquiétais d'elle, elle avait passé tout ce temps chez le coiffeur. Tout de suite me revint à l'esprit cette discussion que, quelques semaines plus tôt, ils avaient eue devant moi. Peu à peu, les moindres futilités leur devenaient prétextes à disputes. Elle prétendait se faire couper les cheveux, qu'elle avait très longs, et il le lui interdisait. On aurait dit qu'elle cherchait comment l'irriter et lui, comment la tyranniser.

— Ça te plaît ?

Je ne savais pas trop. Tout, sur elle, semblait outrancier : cette coiffure courte, en grosses mèches incurvées aux pointes d'un or verdâtre, son maquillage dont les couleurs tenaient plus de la pierre précieuse que de la nature d'un visage, cette robe extravagante. Elle avait un peu mauvais genre. Ça ne fait rien, elle était ravissante et à moitié vengée.

— C'est la première fois que je te vois réagir de cette façon.

— Quelle façon ?

Elle semblait déjà prête à la colère.

— Je ne sais trop. Si inattendue. Si féminine. Ça ne te ressemble pas.

— Mais ça ressemble à ma vie. C'est ma vie qui ne me ressemble pas.

— Tu pourrais y mettre de l'ordre si tu voulais.

— Je ne suis pas pressée. L'ordre me sera imposé sans que j'y sois pour rien, sois tranquille.

Après un verre pris ensemble, ce fut le moment de partir. Elle passa dans sa chambre et, tout de suite, le téléphone sonna. Il y avait un appareil dans le salon, un autre, relié au premier, dans la chambre à coucher. Je suppose qu'elle avait trop à faire à vérifier tout ce savant maquillage. Elle me cria : « Veux-tu répondre ? » Ou bien, croyant que c'était Bullard, ne voulait-elle plus lui parler. Je ne sais.

Ce n'était pas lui. C'était une femme. Une femme un peu ivre qui, entendant une voix d'homme, me prit, sans attendre, pour Bullard. Plutôt volubile, cette personne. Je n'entendais bien que de fréquents « mon chéri, mon coco ». Je criai : « Mais enfin, madame... » et j'entendis un déclic : Gabrielle décrochait l'autre appareil. Et celle-là qui parlait, qui parlait. Il semblait que Bullard fût en chemin pour rejoindre sa femme, que cette fille le croyait déjà arrivé et que, ne se souvenant plus bien des arrangements faits, elle voulait se faire redire l'heure du prochain rendez-vous. J'avais beau essayer de l'interrompre, elle continuait comme une sourde. Quand elle s'arrêta, à bout de souffle, Gabrielle dit :

— Mon mari n'est pas encore rentré, et raccrocha.

Je me précipitai vers la chambre. Je m'attendais à des larmes, et pourtant je ne l'avais jamais vue pleurer. Elle était debout devant la glace, assujettissant ses fourrures, calme, ayant aux lèvres un sourire un peu égaré, mais calme en somme.

— Nous allons finir par nous mettre en retard. Tu sais que j'ai horreur de ça.

Il ne fut pas question d'attendre Bullard.

Nous arrivâmes juste avant le gros de la foule. Des journalistes et des photographes l'attendaient. Puis, elle fut prise d'assaut par ses amis. Enfin, elle put s'attabler derrière les piles de livres.

Elle dédicaçait depuis un bon moment quand j'entendis, d'où j'étais, son rire en roucoulade, mais un peu faux, un peu forcé. Un jeune acteur que je connaissais bien, penché sur elle à la toucher, lisait par-dessus son épaule ce qu'elle écrivait sur la page de garde de l'exemplaire qu'il venait d'acheter. C'était un bel israélite, fin et sombre. Gabrielle prend un plaisir évident à le dépeindre dans son dernier manuscrit :

« Je n'étais pas si sensible à la beauté, autrefois. J'étais émue par ce visage, ces paupières largement bistrées comme si une surabondance du velours des iris eût envahi tout le pourtour de l'œil, ce nez et cette bouche si purs mais, cependant, si caractéristiques que je tremblais de cette menace de sa race et que si j'avais connu les formules magiques qui préviennent les outrages du temps, je les lui aurais cédées pour rien. »

Elle n'en finissait plus d'écrire, s'interrompant pour lui sourire. Dans l'embrasure de la porte, Bullard les regardait.

— Qu'est-ce que c'est que cette mascarade ?

Il avait marché sur moi, l'air furieux, le sourcil plus méphistophélique que jamais. Dans sa colère, il ne se rendait pas compte de ce qu'il y avait d'étrange à venir me demander raison. Il pointait vers moi, et semblait vouloir m'en perforer la poitrine, un index des grandes occasions. C'était un geste de lui que je haïssais particulièrement.

— Croyez bien, Bullard, que je n'ai pas été consulté. Au reste, c'est charmant. Un peu singulier, mais charmant. Elle a fait cela en vous attendant, aujourd'hui. Il ne faut pas trop taxer la patience des femmes sous prétexte qu'elles en ont beaucoup. Quand elles l'ont épuisée, les choses n'en vont que plus mal.

C'est nerveux chez moi. Quand je suis irrité, je prêche. Il haussa les épaules et s'en fut au buffet. Je l'y suivis. Déjà son absence avait été remarquée. Qu'en plus de ce retard, il arrive en ignorant sa femme, c'était un comble. Quelques têtes se retournèrent puis revinrent vers Gabrielle qui, toujours flanquée de son jeune homme, exagérait, vraiment.

Dans toute stratégie féminine, elle avait la main un peu lourde. Et puis, je crois bien qu'elle s'était fourvoyée. Il se trouvait qu'elle était sensible à la séduction de celui dont elle avait voulu se servir pour rendre Bullard jaloux. Au lieu de flirter de façon intime et chuchoteuse — ce qu'on a l'air de cacher semble tellement plus vrai que ce qu'on exhibe — elle le faisait avec bruit, riait trop haut, parlait beaucoup. Le petit souriait modestement.

— Votre conduite n'est pas intelligente, Bullard. Il y a au moins une chose que vous ne devriez pas oublier : votre publicité. Ce que vous faites là ne la sert pas.

Au fond, je me moquais bien de sa publicité. J'aurais voulu que tout cela cesse. J'étais mal à l'aise. Le nouvel aspect de Gabrielle, ce tapage de fillette chatouillée qu'elle menait, l'abstention de son mari à se rendre auprès d'elle c'était, assurément, trop à la fois. La preuve, c'est que plusieurs femmes quittaient sa table et qu'elles étaient vivement remplacées par des hommes.

— Ne croyez pas que ce blanc-bec m'irrite. Là n'est pas la question. Je ne voulais pas qu'elle se coupe les cheveux. Elle le savait. Et cette teinture ! Elle a fait cela pour me braver.

— On pourrait dire, aussi, qu'elle ne voulait pas

que vous la trompiez. Que vous le saviez. Et qu'elle a surtout fait cela pour vous faire enrager.

— Que je la trompe ? C'est vous qui le lui avez appris ?

— Non. Votre conquête qui, entre nous soit dit, semblait déambuler dans les vignes du Seigneur, a téléphoné chez vous, juste avant notre départ.

Je lui expliquai ce qui s'était passé. Il était un peu pâle. « La sotte, murmura-t-il, la sotte. » Sans que je sache bien à laquelle des deux femmes il en avait. Silencieux, maintenant, il regardait Gabrielle. Il semblait évaluer les dommages faits à sa situation, ce qui était irréparable, ce qui était récupérable. Il vida son verre d'un coup et se dirigea vers elle. Je le vis, de loin, lui poser la main sur l'épaule. Je le vis parler et rire avec le jeune homme. Mais je vis aussi que l'entourage fondait depuis son irruption. Des femmes s'étaient rapprochées qui récupéraient les hommes, un à un. Seul le petit tenait bon. Prématurément, les demandes de dédicaces avaient cessé. Elle se leva. Ils entreprirent la tournée des groupes. Dans l'un d'eux, Bullard fut arrêté par une bavarde. Gabrielle se dirigea vers l'autre extrémité de la salle n'adressant, sur son passage, la parole à personne. Il y avait un coin déserté par la foule. Ils s'y installèrent, son sigisbée et elle, et ne bougèrent plus de là. Je croyais assister à une autre version d'un drame déjà vu.

Bullard, après s'être dépris de la bavarde, était revenu au buffet. Je ne pouvais me retenir de m'en rapprocher. Je voulais le regarder de près. Je me demandais s'il souffrait et je cherchais quelque indication, un pli douloureux, une crispation, sur ce visage haï et plus haï encore depuis qu'il était en situation de souffrir. Tout en tenant une conversation animée avec un peintre qui voulait faire le portrait de Gabrielle, je ne le perdais pas de vue. Il buvait. A la fin, je n'y pus tenir et je le rejoignis.

— La pièce est toujours la même, n'est-ce pas Bullard ? Seuls les acteurs changent.

— Vous devez trouver qu'on la joue souvent.

— Bah ! maintenant, ce n'est plus moi que ça regarde.

— N'essayez pas de me faire croire que cela vous est devenu égal. Je vous entendais parler d'elle avec ce peintre.

— Oui, il voudrait bien faire son portrait.

— Qu'ils y passent donc tous, dit-il grossièrement, je m'en moque. Mais en attendant, je vous serais reconnaissant d'aller dire à Gabrielle que, si elle ne me rejoint pas tout de suite, je pars sans l'attendre.

Il avait trébuché sur plusieurs mots. Au rythme où il allait, dans une demi-heure il faudrait le transporter dehors, ce qui n'aurait rien de gracieux.

— Je n'irai pas. Avez-vous juré, tous les deux, de me gâcher cette soirée ? Au reste, je crois que l'idée de rentrer chez vous est une bonne idée.

Je n'en savais trop rien. J'avais regardé les événements se dérouler avec un intérêt aigu mais, soudain, j'étais las de toute cette histoire. Celui-ci et ses façons d'homme mal élevé. Les deux autres et leurs messes basses. La curiosité désobligeante sur les visages qui m'entouraient. Si Bullard s'en allait, tout rentrerait peut-être dans l'ordre. Voilà ce que je souhaitais. De l'ordre.

Il vida un autre verre, ne s'approcha de sa femme que ce qu'il fallait pour lui faire, de loin, un petit signe d'adieu et passa la porte. Il marchait très droit, comme marche qui craint de tituber. A mon tour, je me dirigeai vers Gabrielle.

— Il arrive encore des gens qui voudraient leur petite dédicace. Tu devrais retourner là-bas. Avez-vous eu la vôtre, monsieur ?

Elle le regarda et se mit à rire. S'il l'avait eue ! Ils se levèrent et revinrent vers la table où, en effet, quelques personnes attendaient. Peu à peu, elle se refit une petite cour et le jeune homme eut le bon goût de ne pas, sans cesse, rester là.

Au bout d'une heure, la foule commença de s'éclaircir. Bientôt, il n'y eut plus que quelques retardataires massés autour du buffet, superlativement désintéressés de la littérature et attendant, pour partir, que la dernière bouteille fût sèche. Je les confiai à Barbara et fus chercher la fourrure de Gabrielle. En passant près de l'endroit où ils s'étaient assis, le jeune comédien et elle, j'aperçus le livre qu'elle lui avait dédicacé. Tiens !

« Quoi ! c'est Eliacin ? qui des mondes lointains apporte sa beauté comme les Rois mages apportèrent de l'or et des parfums. Pour Eliacin, dont la seule présence est munificence et prodigalité. Ses pères ont marché sous la colonne de feu, dans le désert, et son visage en est resté doré comme celui d'une idole... »

Et cela continuait comme ça, sur ces thèmes bibliques, jusqu'au bas de la page. Tiens ! tiens ! Quand je revins, il était près d'elle. Il semblait faire ses adieux. Je ne sais pas à quoi j'ai obéi.

— Vous allez reconduire madame Lubin, monsieur ?

Je lui mis prestement la fourrure dans les mains. Tout se passa comme si de rien n'était, sauf qu'il semblait un peu écrasé sous ce bonheur imprévu. Elle me tendit la main, me considéra d'un œil rempli de curiosité, il alla chercher son livre, et ils partirent.

J'entrai chez moi. Je me sentais léger. De cette légèreté un peu agitée que vous donne, par exemple, l'abus du café. Il n'était pas question de me dévêtir. Neuf heures. Il y avait des viandes froides, des fruits, un reste de vin blanc. Je mangeai lentement, pendant que l'eau gouttait dans le filtre. J'avais tout mon temps et la veille serait longue.

A dix heures, je commençai à m'impatienter. Si, après tout, il avait été rejoindre sa maîtresse ? Ah non ! il n'allait pas me faire ça. Cette veillée d'attente, cette revanche, il me les devait.

Le téléphone ne sonna qu'à onze heures moins le quart. Je ne me pressai pas de répondre. Dans sa situation, on a de la patience.

— Gabrielle est-elle chez vous ?

— Mais... non. Elle n'est pas rentrée ?

— Vous le voyez bien. Où l'avez-vous laissée ?

— Elle est partie un peu avant moi. Ce jeune homme... vous voyez de qui je veux parler ?

Il eut un rire bref.

— Et alors ?

— Ils sont partis ensemble. J'ai cru comprendre qu'il la ramenait chez elle. Ils se seront arrêtés quelque part pour manger une bouchée. En tout cas, tenez-moi au courant.

A minuit, environ, il téléphona de nouveau. Je n'attendais que ça pour sauter dans ma voiture.

— J'arrive.

Et avant qu'il ait eu le temps de se reconnaître, j'avais raccroché.

Nous devions former un curieux spectacle, tous les deux. J'avais commencé par m'asseoir, décidé à attendre aussi longtemps qu'il le faudrait, décidé à le regarder faire. J'avais compté sans l'alcool. Ce qu'il avait déjà ingurgité dans la journée et ce qu'il continuait à boire. Je n'étais pas venu pour le regarder dormir. Je l'entraînai à la cuisine, lui préparai une assiette anglaise, presque la même chose que ce que j'avais mangé chez moi. Je lui fis du café. Je le regardai maternellement s'empiffrer, sur le coin de la table. Il avait des veinules aux yeux, les paupières enflammées et des poches au-dessous de tout ça. Avec rancune, je me disais que ce ravage n'était dû qu'à l'alcool et que, par-dessus le marché, il n'avait pas bu par chagrin mais par colère. Un peu de sommeil et il redeviendrait le beau, le méprisant Michel Bullard.

Il finissait de manger, à grand bruit, ramené par l'ivresse, en deçà de je ne sais combien de siècles d'usage, à la grossièreté primitive. Je n'en étais pas choqué.

— Ça va mieux ?

— Ça va tout à fait bien. Quelle heure est-il ?

— Presque deux heures. Gabrielle ne va pas tarder.

— J'étais en train de l'oublier celle-là. — Il essayait un air frondeur. — Qu'est-ce que c'est encore que ce jeune homme ?

— Pourquoi encore ? Vous savez, ce n'est que la deuxième fois que je vois Gabrielle agir comme ça.

— C'est une fois de trop. A mon avis, bien sûr. Et si elle n'entre pas, qu'est-ce que je fais, moi ?

— Cela ne ferait pas votre affaire, mon pauvre Bullard. Vous voilà dans les ennuis par-dessus la tête. Je ne veux pas tourner le fer dans la plaie, mais si vous aviez un peu réfléchi avant de vous offrir cette... distraction, votre situation littéraire et votre situation théâtrale, votre situation mondaine aussi, ne seraient pas si menacées. J'aurais dû penser à tout cela avant de demander à ce charmant garçon de reconduire Gabrielle.

Il se redressa, montrant un peu plus le blanc rougi de ses yeux. Il était dépassé, pas de doute. Il venait de comprendre que je n'avais pas à l'égard de cet événement les mêmes sentiments que lui. Il l'avait cru parce que je l'avais rejoint, que je l'avais nourri. Au fond, il était naïf.

— Mais enfin, vous ne l'avez donc pas dressée ?

Il avait choisi de ne pas répondre à ma dernière phrase.

— J'ai sur vous cet avantage. C'est d'avoir tout de suite compris que Gabrielle n'est pas de l'espèce que l'on dresse, comme vous dites. Je vous souhaite que ce jeune homme ne le comprenne pas plus que vous.

Il se tira péniblement de son siège.

— En tout cas, je vais me coucher. Restez si vous le voulez. Vous êtes ici un peu chez vous, après tout.

J'eus beau tenter de le retenir, il referma sur lui la porte de la chambre. Peu après, j'entendis le fracas de l'eau dans la douche. Une odeur de savonnette mouillée s'insinua jusqu'à moi. Puis le silence, puis le sonore ronflement du dormeur qui s'est couché ivre.

Je pris un livre. Je me sentais vidé, comme un acteur qui sort de scène, mais j'étais décidé à attendre. Ma présence était plutôt insolite. Je ne savais pas encore ce que je dirais à Gabrielle pour l'expliquer. Là n'était pas ma préoccupation. Préoccupé ? Non. J'étais maladivement curieux. Avais-je cessé de l'aimer que je ne souffrais pas. Cela n'avait, vraiment, rien à voir.

Le claquement d'une portière, dans la rue, me tira de ma somnolence. Mon livre avait glissé sur le tapis. Le noir, aux fenêtres, se lavait. J'avais cette raideur à la nuque que l'on prend, passé la jeunesse, à dormir partout ailleurs que dans un lit.

J'entendis qu'elle s'arrêtait sur le palier, sans doute pour écouter s'il y avait quelque bruit dans la maison. Elle essaya la porte, chercha sa clef dans son sac. Cela faisait un tintement d'objets minuscules qui s'entrechoquaient. Puis, elle ouvrit. Sans ménagements. Sans rien de l'attitude « les souliers à la main ».

— Bonjour. Tu es encore ici ? — Elle avait la voix blessée par la veille et la cigarette. — Je savais que tu étais venu, mais je ne croyais pas que tu y serais toujours. Tu es seul ?

— Ton mari s'est couché. Comment savais-tu que j'étais venu ici ?

— J'ai téléphoné vers une heure. Je voulais aller chez toi. J'ai bien pensé que tu étais ici.

— Tu voulais venir chez moi pour qu'il croie que tu n'avais passé tout ce temps qu'avec moi ?

— Mais non, puisqu'il s'agissait de le rendre jaloux. C'est bien ce que nous voulions, n'est-ce pas ?

Non, ce n'était pas ce que je voulais. Il y avait méprise. Pourquoi aurais-je travaillé pour Bullard ? Je ne voulais que créer entre eux de l'irréparable. Mais elle avait cette idée fixe. Je ne cherchai même pas à savoir ce qu'elle avait fait, où ils étaient allés après cet appel chez moi. Rendre Bullard jaloux. La pauvre Gabrielle s'abusait. Elle me mit la main sur l'épaule.

— Excuse-moi. Tu es vexé parce que je ne crois pas que Michel puisse être jaloux de toi ?

Elle me tenait l'épaule, à bout de bras. Je m'avançai et elle plia le coude, sans méfiance. Son visage émouvant, un peu froissé par la longue veille et peut-être par bien autre chose, je ne voulais plus le savoir, était à ma portée.

— Pas jaloux de moi ? Il aurait grand tort.

Elle se méfiait si peu que je n'eus qu'à la pousser légèrement pour la faire tomber sur le divan où je la maintins sous moi, patiemment, aussi longtemps que dura sa résistance et, quand j'eus usé cette résistance, ce fut son consentement que je cherchai, non moins patiemment. Je savais bien comment, et je ne me laissai pas distraire par les protestations qu'elle me soufflait avec une pauvre voix. Je lui fermai la bouche de mes lèvres. Quand elle l'ouvrit de nouveau, ce fut pour m'accueillir. Dans cette alternative, il n'y a que deux possibilités : être vainqueur ou être chassé. C'est à quoi je pensais en tremblant pendant que mes mains la retrouvaient à loisir.

Tandis que nous nous reposions, côte à côte, elle me dit doucement :

— Promets-moi de ne jamais chercher à recommencer. Je ne t'en veux pas, tu le vois. Mais il faut me comprendre. Tu es mon seul ami, mon seul camarade. Si je n'avais pas cette camaraderie, je ne sais pas ce que je deviendrais.

Je promis. J'aurais promis n'importe quoi. Etait-elle sincère ou habile ? Et moi ?

— J'ai faim, dit-elle plus tard.

Elle se leva, se mit à rire...

— Voilà une robe bien mal en point.

...entra sans bruit dans la chambre et revint vêtue de son peignoir bleu. J'avais remis en ordre les coussins du divan. Tout était redevenu comme à l'accoutumée. Tout, si ce n'est ce poids qui m'avait été enlevé, si ce n'est cette douceur creuse, cette lassitude, que je ne connaissais plus depuis longtemps.

— Que va-t-il se passer ici, maintenant ? Que t'a-t-il dit ? Qu'est-ce que tu crois ?

Nous étions tous les deux dans la cuisine. Nous mangions debout, tranquillement. Elle ne semblait pas inquiète de sa fugue, elle ne voulait que connaître les sentiments de Bullard.

— Si tu veux mon opinion, je crois qu'il ne se passera rien du tout. Il s'est couché vers deux heures et demie. Il s'est endormi tout de suite. Tu l'entends ? Tu peux dire que tu es entrée à trois heures moins le quart.

— Tu me comprends mal. Qu'il sache l'heure de mon retour m'est bien égal. Il n'était pas fâché ?... jaloux ?

— Il m'a bien demandé ce que c'était encore que ce jeune homme, mais il était surtout inquiet de son propre sort. Il craint que ce tu as appris ne nuise à sa situation.

— Sa situation ?

— Sa situation, c'est toi, tu le sais bien. Sans toi, plus de rôle, plus d'éditeur, plus de salon où recevoir des gens influents. A ta place, je ne m'inquiéterais pas.

— Je ne m'inquiète pas. Je souffre. Par malheur pour moi je ne suis pas faite pour souffrir patiemment, pour attendre, pour me résigner. Au lieu de profiter de ce qui me reste, je l'écourte. Je suis maladroite. A-t-il parlé de cette femme ?

— Il a admis son existence, mais il n'en a pas autrement parlé. C'est une femme sans importance.

— Toutes les femmes sont sans importance. C'est ce qu'elles vous enlèvent qui en a. Crois-tu que je sois jalouse ? Tu as entendu « ça » au téléphone ? Vois-tu, chou, dans moins d'un an, dans moins de six mois, j'aurai perdu Michel. Sans que cette femme, ou d'autres, y soient pour quelque chose. Parce que cet amour n'est pas fait pour durer. Mais pourquoi faut-il qu'elles viennent me picorer ce qui me reste ? Et maintenant, tu me dis qu'il n'est même pas jaloux.

— Mais enfin, même pour le rendre jaloux, était-il bien nécessaire de ne rentrer qu'à l'aube ? Pourquoi as-tu fait ça ?

— Je te l'ai dit. Parce que je ne sais pas souffrir comme les autres femmes savent si bien le faire.

— Et ce petit n'est pas mal, avoue-le.

— Oh ! je l'avoue volontiers. Pas mal ? Je n'ai jamais rien vu d'aussi beau dans toute ma vie.

— Qu'est-ce que c'est, tout à coup, ce goût pour les beaux garçons ?

Elle eut un petit sourire confus et chuchota :

— Je ne sais pas... L'âge, peut-être.

J'appris le lendemain que Bullard ne s'était éveillé que fort tard, qu'il était reparti en fin d'après-midi pour compléter la tournée, qu'il n'avait rien dit et qu'il avait été aussi gentil qu'une gueule de bois peut le permettre. Tous s'étaient mis, soudain, à marcher sur le bout des pieds.

Ni Gabrielle ni moi, n'avons jamais reparlé de cette nuit-là. Elle m'avait dit, comme je la quittais :

— Ne regrette rien. Je ne t'en veux pas.

Elle m'avait tendu un visage fraternel. J'étais retourné chez moi léger. Léger de ce pardon, mais bien plus encore de cette prédiction, de cette promesse : « Dans moins de six mois... » J'étais comme l'hyène qui attend, pour manger, que le lion lui abandonne le reste de sa proie.

Elle travaillait toujours à ce roman qu'elle avait mis de côté pour écrire pour le théâtre. Je ne sais si toutes ces interruptions — cette pièce, son mariage, « l'amélioration » du roman de Bullard — lui avaient fait perdre le rythme de l'œuvre, mais elle peinait sans beaucoup de résultats. Je crois aussi, qu'après tous ces bouleversements, le sujet choisi lui était devenu étranger. Elle avait trop changé. C'était comme achever le livre d'un autre.

— Je ne retrouve rien de ce que je voulais dire, soupirait-elle. Tous ces gens m'ennuient. Je ne sais plus quoi leur faire faire.

Certains mauvais jours, elle parlait de cesser d'écrire. Seuls le pli, l'habitude, la ramenaient, à heures fixes, devant sa table de travail.

Le lundi matin, j'essayai en vain de la rejoindre au téléphone. Je pensai qu'elle avait été aérer son ennui. Même chose à la fin de la journée. Je comptais bien reprendre nos habitudes des semaines précédentes et je fus fort ennuyé. A huit heures, j'allai voir sur place ce qui se passait. Il y avait de la lumière chez elle, mais ce fut en vain que je sonnai. Avant de redescendre, j'attendis, prêtant l'oreille. Soudain, le bruit de sa machine à écrire me parvint, étouffé. Je retournai chez moi, intrigué mais rassuré.

Il était bien minuit quand elle me téléphona.

— C'est toi qui es venu faire tout ce bruit à ma porte ?

— J'avais essayé de te rejoindre plusieurs fois. J'étais inquiet.

— Il n'y a pas à t'inquiéter, au contraire. J'écris. J'écris comme je ne l'avais pas fait depuis des mois. Si tu savais comme je suis soulagée.

— Alors ? Tu vas me terminer ce bouquin bientôt ?

— J'espère. Mais il faut que je te dise : c'est un nouveau roman que je commence.

— Et l'autre ? Tu l'abandonnes encore une fois ?

— Je l'ai rangé au fond du tiroir. C'était pourtant un sujet qui me plaisait. Je crois que je l'ai gâché. Peut-être qu'un jour, plus tard (et sa voix flancha légèrement), je le reprendrai.

— Et celui-ci ? Ça va bien ? Quel est ton sujet ?

— Je crains que le sujet ne te plaise qu'à moitié. Mais ça va à merveille. J'ai commencé à l'écrire dimanche, dans la soirée, et j'ai déjà terminé deux chapitres.

Ce manuscrit qu'elle acheva en quatre mois d'un travail ininterrompu, c'est celui que j'ai devant moi.

A partir de ce moment, je ne la vis plus que rarement. Quelques heures le samedi ou le dimanche. Bullard revint de tournée et je le sus parce qu'il vint me voir à mon bureau. Il se plaignit amèrement de ce qu'il appela la nouvelle lubie de Gabrielle qui ne voulait plus recevoir, ne voulait plus sortir, ne bougeait plus de sa table de travail. Avec stupeur, je m'aperçus qu'il n'était pas au courant de son nouveau roman. Il n'avait plus part à l'essentiel.

Au moment de partir, et je me rendis compte que c'était le propos auquel il tendait depuis le début de l'entretien, il me jeta avec négligence :

— Cette aventure de tournée, je voudrais bien que Gabrielle comprenne qu'il n'en est plus question. Vous devriez lui en parler à l'occasion.

Pauvre type. Comment lui expliquer que là n'était pas le drame. Comment lui expliquer qu'elle et lui ne formeraient jamais un couple. Chaque fois que je les voyais, maintenant, je les trouvais affrontés, dressés l'un contre l'autre. Même si leur accord se rétablissait, par moments, je subodorais sans cesse cet affrontement. L'étonnant, c'est qu'ils aient pu avoir quelques mois de bonne entente. Tous les deux s'étaient donné, réciproquement, un maître et ils ruaient sous le joug.

Un matin, elle m'appela au téléphone pour me demander une avance sur ses rentrées. C'était la première fois, depuis toutes ces années. Elle avait toujours réussi à ne vivre que de ce qu'elle avait. Elle faisait même des économies. Telle que je la connaissais, si elle demandait une avance, c'est que le compte en banque n'existait plus. La colère me prit.

— Tu devrais refiler ce monsieur à une femme plus riche que toi. Ces plaisirs sont vraiment au-dessus de tes moyens.

Elle resta silencieuse un long moment. Elle ne souhaitait, je pense bien, que de raccrocher violemment mais elle ne le pouvait pas. J'entendais son souffle. J'attendais qu'elle s'humilie davantage.

— C'est une avance que je te demande. Ce n'est pas un don.

— N'essaie pas de m'égarer. Tu sais bien que là n'est pas la question. C'est cette détérioration de toi qui m'exaspère. Combien veux-tu ?

Or, il se trouva que ce fut un don. Il était encore trop tôt pour les rentrées sur la vente de l'édition de sa pièce et je lui avais remis tous les autres droits d'auteur que je lui devais. Quand sa pièce commença à rendre, elle avait tellement besoin d'argent que je ne voulus pas me rembourser. De son côté, elle était bien hors d'état de s'en soucier. De sorte que Bullard vécut de mes deniers pendant quelques semaines. Une chose comme celle-là vous inspire des sentiments vraiment insoupçonnés jusqu'alors.

C'est à cette époque que je m'aperçus que Bullard téléphonait à Barbara tous les jours. J'avais remarqué qu'il multipliait les visites, ces derniers temps, mais je n'avais pas vu qu'il y eût, entre eux, début d'intrigue. Ils avaient dû s'entendre entre deux portes. C'était bien leur façon à tous les deux. J'appris plus tard que cette liaison avait été amorcée quand il était venu à mon bureau pour la première fois, lors de la publication de son roman. Comme de juste, c'était Gabrielle qui avait, sans s'en douter, creusé de ses mains ce dernier piège, et avec quelle ferveur. Interrompues par le départ de Bullard, ces relations avaient repris dès son retour.

Barbara était depuis six ou sept ans à mon service. Rarement ai-je eu secrétaire plus efficace. C'était une fille très grande, mince. Le visage n'était pas joli, mais il était assez étrange pour que cela n'ait pas d'importance. Elle avait des cheveux noirs et lustrés, tirés sur les tempes, et cette blancheur de peau qu'on ne voit qu'à certaines brunes. Ce n'est pas la blancheur du lait, comme chez les rousses, mais celle d'un épais pétale de fleur.

— J'ai une couleur de peau démodée. Je ne peux arriver à me bronzer, disait-elle tout en se garant soigneusement du soleil.

Elle aimait, ce contraste du blanc et du noir, le démarquer de jaune vif, par quoi elle en tirait beaucoup d'effet. Au reste, on se rendait tout de suite compte qu'elle se connaissait toute, merveilleusement, et qu'elle ne sous-estimait aucun soulignement.

Lorsqu'elle était devenue ma secrétaire, Gabrielle était déjà bien installée dans ma vie. Il n'y avait jamais rien eu entre Barbara et moi, ai-je besoin de le dire, mais je la devinais froide, aguicheuse, calculatrice. Elle n'aimait pas Gabrielle, et je suis sûr qu'avec Bullard, elle s'offrait non seulement une aventure qui lui plaisait, mais une vengeance aussi. Envie ? Antipathie naturelle ? Je ne sais. Une seule chose était certaine : c'est que Bullard, entre les mains de Barbara, allait être savamment manœuvré pour peu qu'elle s'en donnât la peine.

Je l'avais souvent vue à l'œuvre. C'était une de ces filles qui connaissent toutes les ficelles à entortiller les hommes. Elle avait cet art, par exemple, d'être toujours là, à portée de la main, et de donner l'impression qu'il avait fallu la poursuivre, d'attendre en feignant de faire attendre, de s'incruster en ayant l'air de fuir. J'avais été souvent sidéré — elle ne se gênait pas devant moi — par son don du mensonge et son habileté à retourner les situations.

— Je n'ai pu attendre ton coup de fil. J'ai dû aller déjeuner avec un ami pour des raisons que je ne peux t'expliquer.

Or, elle s'était passée de manger pour attendre cet appel. Le pauvre garçon, qui était tout fier de lui d'avoir fait attendre cette belle fille, d'avoir secoué un peu de son emprise, se sentait mystifié et trahi. C'était lui à qui on avait posé un lapin. Il ne recommencerait pas et il l'invitait pour le soir même. Ce qu'elle acceptait après s'être laissé beaucoup prier.

Ce petit jeu, et vingt autres de la même espèce, j'y avais assisté à répétition, étonné, amusé parfois — car la victime était souvent de celles à qui « on ne la fait pas », et c'était toujours celle-là qui marchait le plus à fond — mais désintéressé toujours. Quand elle avait poussé son petit pion en direction du fou, elle reprenait son impeccable travail et c'était cela qui importait. Aujourd'hui, je n'étais ni fâché ni heureux de ces amours. Je ne souhaitais pas un dénouement plus que l'autre. Mon intérêt, mon cœur, ma pitié me tiraillaient vers des directions si opposées, qu'à la fin je ne pouvais plus être qu'attentif.

Gabrielle, malgré la réclusion à quoi elle se condamnait — et cela me sembla assez mystérieux — fut tout de suite informée de la nouvelle liaison de son mari. J'ai compris, depuis, que Barbara n'avait pu résister au délicat plaisir de le lui laisser savoir par des moyens subtils et détournés.

— Comment est la belle Barbara ? me demanda-t-elle, un matin, au téléphone.

C'était une question qu'en sept ans elle ne m'avait jamais posée. Je restai court.

— Tu penses bien que je suis au courant. Et puis, tu sais, celle-là ou une autre...

Je croyais, sur la foi de ces paroles, que l'indifférence lui était venue quand, un samedi soir, chez elle, ils se mirent à échanger, comme cela leur arrivait sans cesse et au premier prétexte, des mots de plus en plus vifs. Les reproches, d'abord mal définis, se précisèrent peu à peu et je finis par comprendre que c'était le manuscrit à quoi travaillait Gabrielle qui les exerçait l'un et l'autre. J'étais surpris car je croyais que Bullard n'était pas au courant.

— Croirais-tu que Michel exige que je retranche toute une partie de mon roman, sous prétexte que l'on y reconnaît trop bien quelqu'un qui lui tient à cœur ?

— Reconnaître trop bien n'est pas le mot. Elle décrit son visage, ses robes, sa façon de parler. Tout juste si elle ne la nomme pas. C'est un procès en diffamation que tu veux ?

— Ça, tu sais, ça m'étonnerait beaucoup.

— C'est une vengeance, quoi.

— C'est un roman que j'écris, là ! Ce roman est tiré de ma vie et il se trouve que Barbara s'y est immiscée. Je veux dire ce que j'ai envie de dire, de la façon que je veux, avec les mots qu'il faut. Croirais-tu, dit-elle en tournant encore une fois vers moi son visage courroucé, que Michel fouille dans mes papiers quand je ne suis pas là et, si ça ne lui plaît pas, il déchire sans se gêner. C'est me vexer bien inutilement. Je fais toujours copie double.

Bullard marcha sur elle d'une façon peu rassurante. Gabrielle était rouge. Je voyais les veines de son cou, toutes gonflées, qui battaient.

— Je ne veux pas que tu publies ça. Tu vas retrancher ces passages-là.

— Mes meilleures pages ? Pour que j'aie cela à te pardonner en plus de tout le reste ? Je n'ai pas assez de sujets de rancune contre toi ? Mais tu ne sais donc pas ce que c'est qu'écrire ? Ce que c'est que de tenir à ce qu'on écrit ? Question inutile. Nul ne sait mieux que moi que tu ne le sais pas.

Il fit encore un pas vers elle. Je me levai. La pointe de délire qui vient de l'imminence d'un événement âprement désiré commença à me fouailler. Mais Bullard s'arrêta court et, naturellement, il prit son veston, ses cigarettes et fit claquer la porte.

— C'est la commedia dell' arte, dit Gabrielle. Le dialogue varie, mais le scénario est toujours le même. La sortie, surtout, est invariable.

Ce que Bullard n'avait pu obtenir par la colère, il tenta, les jours qui suivirent, de l'obtenir par l'amour. Gabrielle accepta les... avantages de la situation (il ne faut pas bouder le plaisir quand il se trouve, écrit-elle tout crûment), mais ne céda pas. Il semble que, fuyant toute conversation qui aurait pu mener à ce fameux manuscrit, elle le tint en haleine une bonne semaine. Lorsqu'au bout de ce temps, se croyant sûr de lui et lassé de cette petite guerre (on imagine qu'en cette conjoncture l'exigence d'une femme doit être assez impitoyable), il tenta de l'amener à reddition, elle lui rit au nez. Il en était pour ses frais et sa tentative ne servit qu'à ajouter un épisode au roman en cours. C'est bien le plus désolant de tous, celui qu'elle appelle « le dernier grand festin de la chair » où il n'était plus question, dit-elle, « ni d'éprouver de l'amour, ni d'en souffrir, ni même de s'en soucier, mais de le faire ».

Quand il fut évident que c'était raté, ils redevinrent extérieurement des ennemis qu'au fond ils n'avaient pas cessé d'être. Elle retourna à son travail, lui, à son aventure. Ses autres intérêts, ceux pour quoi il avait chambardé la vie de Gabrielle, exploité son amour, ne semblaient plus compter. Il avait eu un moment d'ambition, il avait tout saccagé sur son passage pour la satisfaire, maintenant, il passait à autre chose.

— J'ai abandonné mes traductions, me dit-il un jour. Ça n'est pas un travail agréable. Gabrielle est trop exigeante.

Il sentait bien qu'il avait exprimé ce fruit jusqu'au zeste, qu'il ne lui restait plus qu'à partir. Et puis, il était vraiment pris par Barbara. Mais les êtres ne sont jamais aussi simples qu'on le croit.

Chaque semaine, quand j'allais chez eux, je faisais vivement, du regard, le tour de la pièce. Je m'attendais, chaque fois, à ne plus rien voir de ce qu'il avait ajouté à notre ancien décor. Chaque fois, je m'attendais que Gabrielle m'accueille en me disant : « Il est parti. » Il n'était jamais là, mais il y avait ses pipes sur les tables, ses journaux. Par l'embrasure de la porte j'apercevais, sur le pied du lit, un des somptueux tricots de cachemire qu'il affectionnait. Pourtant, je savais que cela ne pouvait durer, qu'il n'était pas dans leur nature, ni à l'un ni à l'autre, de s'incruster dans une inimitié bourgeoise, en attendant la vieillesse et la mort. Qu'attendaient-ils ? A quoi rimait cette obstination ?

— Eh bien ! que fais-tu maintenant ? lui demandai-je la première fois que je la revis après cette fiesta.

— Que veux-tu que je fasse ? Je travaille.

— Je veux dire, et tu le sais très bien, que décides-tu au sujet de Bullard ?

— Mais rien. C'était un petit interlude, sans plus.

Elle sembla, un instant, attentive à quelque souvenir, plissa les paupières et éclata de rire.

— C'est cette bonne Barbara qui a dû se ronger les poings toute la semaine. Et je doute que celle-ci lui apporte beaucoup de consolations.

J'étais plutôt effaré de ces propos. Elle se laissa tomber dans un fauteuil.

— Les femmes sont de fameuses putains.

— Tu veux que je la renvoie ?

— Qu'est-ce que cela changerait ? Et ce n'est pas d'elle que je parle, c'est de moi.

Elle resta silencieuse longtemps, regardant le fond de sa tasse.

— Sais-tu ce qui me dégoûte le plus ? C'est de m'entendre te raconter tout cela par le menu, tout en sachant bien que tu m'aimes encore. Chaque fois, je me dis que telle chose je te la tairai, et je finis toujours par te la raconter. Je n'ai personne à qui parler. Heureusement, il y a mon bouquin. Je ne sais pas pourquoi je dis heureusement. Ça n'est pas toujours folichon d'écrire son histoire et, surtout, ça n'est pas toujours joli. C'est en l'écrivant que j'ai découvert que je suis une fameuse putain.

— Mais tais-toi donc !

— Oh ! ne crie pas toi aussi. Pauvre chou, va. Tu ne sais même pas tout.

Je fus si effrayé de ce sous-entendu que je ne posai pas de question.

Les semaines passaient. Je ne la voyais que le samedi ou le dimanche et seulement pour une heure ou deux. Par contre, je voyais Bullard presque tous les jours. Il venait chercher Barbara après le travail et, quoique cela me déplût, je ne pouvais guère m'y opposer. Je ne me doutais pas que la détérioration de l'image que je me faisais de Gabrielle, allait me venir de ce côté-là aussi.

Il y a deux portes dans la pièce où je travaille. L'une ouvre sur le bureau de ma secrétaire et je ne la ferme que pour recevoir des visiteurs. L'autre donne sur le corridor et ne me sert que lorsque je veux partir sans être retardé par quelque employé en mal d'idées ou de réclamations. Peu avant d'arriver chez moi, je m'étais rendu compte que j'avais oublié des papiers dont j'avais besoin pour mon travail de la soirée. J'étais revenu, empruntant cette issue et tâchant de ne pas faire de bruit, de crainte d'être entendu par quelque fâcheux attardé. La porte du bureau de Barbara était fermée. De gros rires, suivis d'une remarque fort grossière de Bullard, parvinrent jusqu'à moi avant que j'aie le temps de signaler ma présence. Il fut tout suite trop tard. J'étais stupéfié. Ces rires, tout ce répertoire de mots crus, cette façon grasse de faire l'amour, et dans un bureau encore. Hypnotisé, j'écoutai jusqu'à la fin, jusqu'à l'ultime bonne blague dont ils riaient encore en traversant le bureau désert du comptable, pour rejoindre le corridor. C'était cela, c'était pour ce genre de divertissement qu'elle m'avait quitté.

Il y avait longtemps qu'ils étaient partis que j'étais encore assis sur un coin de chaise, près de la porte. Je m'aperçus que je parlais tout seul, que je répétais idiotement « comme ça, comme ça ». Puis, j'essayai de venir au secours de ce pauvre sentiment, tout ce qui restait de ce qui avait été ma vie. Bah ! comme ça ou autrement. Mais ce fut sans succès. Je ne pouvais me défaire de cette vision horrible. C'était, avec celle de Bullard, la voix de Barbara que j'avais entendue, mais c'était Gabrielle que je voyais. Bien sûr, ce n'était pas la première fois que je les imaginais ensemble. J'avais été, les premiers temps surtout, hanté de ce cauchemar. L'idée de Gabrielle, faisant l'amour avec Bullard, me dégoûtait par jalousie. Maintenant, elle me dégoûtait indépendamment de ma jalousie.

Je rentrai chez moi et téléphonai à Corinne. Je n'avais plus envie de travailler. Je ne voulais plus regarder, en moi, cette déprédation de tout ce que j'avais aimé. Le visage lisse de Corinne, voilà ce qu'il me fallait, ce visage où je ne chercherais qu'un peu de beauté où poser les yeux. Je l'invitai à dîner.

— Chouette, dit-elle, j'ai une robe neuve.

Oui, voilà ce qu'il me fallait : la petite Corinne, occupée de ses robes, occupée d'être belle, parlant à tort et à travers, sans arrêt, remplissant chaque minute jusqu'à ce que j'oublie.

Je l'amenai d'abord prendre l'apéritif dans un bar non loin de chez elle. J'insistai pour qu'elle prenne autre chose que son éternel jus de fruits.

— Je n'ai pas besoin d'alcool pour être grise. Aussi le suis-je tout le temps.

C'est ce que j'appelle de la veine. Elle choisit un restaurant nouveau qui drainait déjà une partie de la clientèle artistique de la ville. Au moment du café, deux petites comédiennes vinrent lui parler, suivies bientôt d'un pianiste et d'un chanteur de charme qui faisait des ravages ces semaines-là. Tout ce monde s'assit avec nous. Corinne avait les joues comme des pêches mûres. Elle était grise, en effet.

A onze heures, ils étaient tous chez moi, assis autour du pick-up. Ils avaient trouvé, dans ma discothèque, des enregistrements de chansons si anciennes qu'ils n'en connaissaient aucune. Ils s'émerveillaient de leur sentimentalité. Le jeune chanteur et le pianiste notaient avec frénésie. Puis, ils se mirent tous à parler travail et j'en profitai pour aller emplir les verres.

— Je l'ai vue, l'autre jour, qui dînait avec Blondeau.

— C'est dégueulasse.

Et la voix de Corinne :

— Ne parle pas si haut.

Je m'étais figé, un verre dans chaque main. « Pauvre chou, tu ne sais même pas tout... » Pas de doute. C'était de Blondeau, ce dénicheur de scandales, ce ver de terre, qu'elle parlait. Dans le salon, la conversation n'était plus que chuchotis. Ces enfants comprendraient bientôt pourquoi je ne revenais pas. Cependant, je restais là, mes deux verres dans chaque main. Je n'avais pas bougé quand Corinne s'annonça dès le corridor.

— Tu as besoin d'aide ?

Oh oui ! j'avais besoin d'aide. Elle entra, les joues pâlies, les yeux interrogateurs, m'enleva les verres, les posa sur la table. Puis, elle me prit à pleins bras, avec un mouvement de berceau que je suivais sans rien dire. Elle ajoutait à ce geste maternel quelque chose de garçonnier, de bourru. « Là, là », disait-elle. J'avais appuyé mon front sur ses cheveux et son souffle, tout parfumé de jus d'orange, me caressait le menton. Si j'avais pu en être ému. Au bout de quelques minutes, elle me secoua un peu.

— Il y a seulement quelques heures, je ne l'aurais pas cru. Maintenant, je croirais n'importe quoi. Je ne sais pas ce qui est arrivé à Gabrielle. Elle est devenue folle. Tu sais bien comment elle était avant ce Bullard de malheur. Elle ne fait plus que des bêtises.

— Et toi, tu attends qu'elle ait fini d'en faire.

Elle s'empara des verres, retourna au salon et je la suivis. Les quatre petits dansaient, chaque couple à l'image de l'autre, joue à joue, les yeux mi-clos. N'ayant entendu ni éclat de voix, ni bris de verrerie, ils avaient cru, je suppose, que je n'avais pas compris leurs propos sur Gabrielle. Je fis danser Corinne et les jeunes comédiennes à tour de rôle. C'est encore la meilleure façon de se cacher. On appuie sa joue sur la tête de sa danseuse. Elle ne vous voit pas. On est seul.

Le lendemain, et les jours qui suivirent, je ne donnai pas signe de vie à Gabrielle. J'appris par Bullard qu'elle travaillait presque jour et nuit.

— C'est la transe, mon cher, la véritable transe. Elle dort à peine, sort du lit à l'aube, prend un petit bain, boit un petit café. Puis, elle est prête pour les grandes choses. Qu'est-ce que je dis ? Même en prenant son café, elle tripote son manuscrit. Elle ajoute des virgules, sabre des adverbes. Elle vit dans une vieille robe de chambre qui doit dater de votre époque. Elle ne s'est pas fait recouper les cheveux, de sorte qu'elle a la tête comme une botte de foin. La femme de ménage arrive sans qu'on lui dise ce qu'il y a à faire, et repart après avoir astiqué ce que bon lui semble. Si un bienfaiteur de l'humanité, dont j'ignore le nom, mais à qui je dois la vie, n'avait pas inventé les restaurants, il y a longtemps que je serais mort de faim.

Tout fier de sa tirade, il prenait par le bras Barbara qui riait comme une folle, et s'en allait avec elle. Ils avaient l'air heureux. Il semblait, contre toute logique, que chacun allait s'installer pour de bon dans cette précarité.

Bullard avait oublié ses ambitions et recommencé à placer des articles dans des journaux. Il trouvait plus facilement à les placer qu'avant son mariage. Allons ! il y avait trouvé son avantage, tout compte fait. C'était peu, mais c'était mieux que rien du tout. Sans compter les coups de chapeau. Il avait, le soir, le couvert chez Barbara et, la nuit, un gîte intermittent chez Gabrielle, laquelle ne vivait plus que pour elle-même et pour son travail. Bullard pouvait bien entrer, sortir, découcher, je pense qu'elle ne s'en rendait pas compte.

Je n'avais plus entendu parler de l'affaire Blondeau. Je n'espérais plus rien, je ne pensais plus à rien. Je vivais au jour le jour, ne souhaitant plus que l'oubli.

Vint un temps où je crus bien l'avoir atteint cet oubli. J'avais beau, quand je m'interrogeais, gratter mes anciennes plaies, et les plus récentes, je ne trouvais plus que scléroses, qui me tiraillaient bien un peu, mais sans rien de vif, rien d'écorchable. J'avais eu un dernier sursaut le soir où Corinne et ses amis étaient venus chez moi. Maintenant, je n'étais plus que racornissement, callosité.

Je pensais encore à elle, bien sûr, et à Bullard, et à Barbara, mais c'était pour me répéter que tout cela m'était égal. Ils peuvent bien tous crever, me surprenais-je à marmonner plusieurs fois par jour. Je travaillais, je sortais parfois avec Corinne, je pensais à un voyage à Paris. Il me semblait que tout était dit. Mais il me restait le dernier obstacle à sauter, celui qui dilue vos dernières forces, vous arrache l'air de la poitrine et vous emplit la bouche de poussière et de sang.

Un matin, elle téléphona très tôt. Il était tout au plus neuf heures et demie.

— Je voudrais te voir tout de suite.

Rien d'urgent ne me retenait. Mais je me fis prier et, comme elle insistait.

— Encore un pot de cassé ?

— Je t'en prie. Tu sais bien que je ne te dérangerais pas pour une futilité.

En me rendant chez elle, je maugréais. Dès que ça n'allait pas, on m'appelait. Autrement, on m'ignorait pendant des jours entiers. J'en avais assez et j'avais bien l'intention de ne pas le cacher.

Elle était vêtue de la vieille robe de chambre dont Bullard m'avait parlé et qui datait, en effet, de mon époque. Je me souvenais qu'elle l'avait achetée un samedi que nous avions fait des courses ensemble. Je la reconnaissais quoique la couleur en fût bien passée. Le tissu était éraillé derrière une épaule et la ceinture effilochée à l'endroit du nœud. En plus de onze ans, je n'avais jamais vu cette femme, si soignée, attifée de cette façon. C'était désolant.

— Excuse-moi. J'aurais dû m'habiller. Cette vieille chose est si chaude et je suis toujours glacée quand j'écris.

Je ne trouvai rien à répondre. Je la suivis au salon. Près de la fenêtre, je vis qu'elle avait la peau grise, les yeux cernés.

— J'ai bien besoin de toi.

Ce disant, elle tira une lettre de sa poche. Sa voix était sans timbre.

J'avais tout de suite pensé que Bullard lui écrivait pour lui annoncer qu'il ne reviendrait plus.

— Lis. Tu vas comprendre tout seul.

C'était une lettre tapée à la machine. Je courus à la signature. Un simple B. Pourquoi aurais-je compris qu'il s'agissait de Blondeau ?

Ma très chère Gabrielle,

Alors ? On ne veut plus voir son petit copain ? On en a déjà assez ? Je ne pensais pas faire ma vie avec toi, remarque. Mais je prolongerais volontiers de quelques semaines. Tu as tort de ne pas vouloir comprendre, de raccrocher quand je téléphone. Tu as d'autant plus tort que j'ai de toi un petit billet fort gentil qui amuserait bien les amis, et je n'exclus pas ton mari. Quoique je tienne beaucoup à cet autographe de la célèbre Gabrielle Lubin, je te le remettrai si tu viens le chercher chez moi. Peut-être pas la première fois que tu viendras, mais je finirai bien par te le remettre. C'est dit ? Je t'attends.

B.

— Je croyais d'abord que B c'était Bullard. Mais alors, c'est...

— C'est Blondeau, oui.

— Et il te tutoie ? Qu'est-ce que c'est que ce billet dont il te parle ?

— Un mot pour me décommander.

— Tu ne pouvais faire cela par téléphone ?

Elle haussa les épaules. Pourquoi discuter de ce qui aurait pu être.

— Qu'est-ce qu'il y a eu entre vous ? As-tu...

Les mots passaient mal. Elle leva les deux mains et les lança devant elle comme pour repousser quelque chose avec violence.

— Mais non, non. Seulement, ce billet pourrait peut-être le laisser croire. Je ne me souviens plus de ce que j'y ai mis.

Elle soutint mon regard. Trop bien, me sembla-t-il. Même aujourd'hui, je ne sais que penser.

— Ma pauvre fille, comme boulette ! Mais, en somme, ses menaces ne sont pas terrifiantes. Tu n'as pas eu honte d'aller dîner avec lui ? Quand on connaît le bonhomme, c'était déjà jouer gros. Quelle différence s'il montre ce billet ?

— Mais, je ne savais pas. Je voulais jouer ma dernière carte. Je le croyais le seul dont Michel fût jaloux. Ce qu'il y a de plus stupide, c'est que je ne suis même pas sûre qu'il l'ait su. Il est bien trop occupé de sa Barbara. Il y a des soirs, tu sais, où je suis tellement fatiguée de travailler seule ici. Blondeau s'est mis à me poursuivre. Je ne savais pas. Je n'avais jamais lu le journal où il écrit. Depuis que je sais, je mourrais si quelqu'un, qui que ce soit, croyait que j'ai été sa maîtresse. Il n'y a pas que ce qu'il écrit, c'est un vaurien. Il faut que tu ailles le trouver.

— Et que je lui dise que ce billet a une telle importance que nous sommes prêts à le payer n'importe quel prix ? Ça serait malin.

— Tu ne veux pas ?

Elle s'assit lourdement.

— Tout me fait faux-bond.

Je la regardais. Ces années de plus qu'elle avait, tout à coup. Ces épaules courbées. Elle me faisait pitié. Infiniment.

— Laisse-moi la lettre. Je vais tâcher de faire ce qu'il faut. J'espère que tu n'as pas une dernière des dernières cartes à jouer pour rattraper Bullard. Tu n'as pas compris qu'entre toi et lui ça ne peut pas aller ?

— Je le sais bien. J'ai décidé de lui dire de s'en aller... quand je le verrai. Car pour le chasser, il faudra d'abord qu'il vienne. Tu es content ?

— Oui.

Mais je ne savais plus.

Je ne retournai pas au bureau. Ce que j'avais à faire, je ne voulais pas que Barbara le surprenne. Je m'en fus chez moi et téléphonai à un de mes amis qui est avocat. J'étais embarrassé de lui raconter l'affaire, mais il comprit très vite et à demi-mot.

— Ne bouge pas, je passe te prendre. Je crois que nous allons régler ça très facilement. J'aurais préféré que ce type demande de l'argent au lieu de... (Je pense qu'il faillit dire « au lieu de l'amour » et qu'il se rattrapa à temps), mais ça ne fait rien. Il a la réputation d'être un sacré froussard.

Il mit à peine vingt minutes à se rendre chez moi. Je voulus, en l'attendant, tenir Gabrielle au courant. Je laissai sonner longtemps. J'étais sûr qu'elle était encore là. Elle craignait, je suppose, d'entendre la voix de Blondeau au bout du fil. Nous avions, autrefois, une entente pour nous reconnaître quand nous soupçonnions que l'autre ne répondait pas parce qu'il craignait d'être ennuyé par quelque importun. Il s'agissait de ne laisser sonner qu'une seule fois, de raccrocher, et de rappeler aussitôt. Ce que je fis. Pas de réponse. Plusieurs minutes après, elle m'appela.

— C'était toi ? J'avais oublié ce vieux code.

Je lui expliquai brièvement ce que je comptais faire tout en regardant sa photo qui était toujours sur ma table de travail. C'était cette première photo à quoi elle n'avait jamais ressemblé que comme une sœur moins belle. « J'avais oublié ce vieux code... » Pour la première fois, depuis le matin, j'eus ce qu'on est convenu d'appeler un pincement au cœur. Le grain de sable qui se glisse dans votre soulier à la fin d'une marche forcée et qui devient bien plus important que votre épuisement. Je pris la photo, la mis dans un tiroir. Puis, je jugeai le geste théâtral et la remis sur la table. Leroux sonnait à ma porte.

Il demanda tout de suite à voir la lettre de Blondeau. Il s'interrompit deux ou trois fois pour me regarder par-dessus ses lunettes. Je me demandais ce qu'il pensait. J'avais envie de lui révéler que Gabrielle avait voulu rendre Bullard jaloux et je n'osais pas. Il me répondrait qu'il n'avait pas à connaître le fond de l'affaire et je resterais avec mon explication rentrée.

— Allons-y, dit-il. J'ai téléphoné à son journal. Il est chez lui le matin. Nous allons prendre ma voiture.

Blondeau habitait une vieille maison de rapport à l'autre bout de la ville. Le parcours se fit presque en silence.

— Dois-je entrer avec toi ?

— Oui. A condition que tu n'aies pas l'intention de lui casser la figure.

Ça ne m'aurait pas déplu, mais je savais bien que c'était justement la chose à ne pas faire. Qu'il me remette la lettre de Gabrielle et je n'en demanderais pas plus. Nous arrivions. Il vint répondre lui-même, ne marqua pas beaucoup sa surprise et nous fit entrer. Je fis les présentations.

— Cher monsieur, dit Leroux, je ne vous connais pas, mais je connais votre patron. Je sais qu'il n'attend que vous prêtiez un peu le flanc pour vous mettre à la porte. Une poursuite en justice contre vous, pour menace de chantage, lui ferait un très bon prétexte. Vous me comprenez ?

Blondeau s'essaya, par acquit de conscience, à prendre un visage étonné, y renonça tout de suite, tira de sa poche un vieux portefeuille, en sortit la lettre de Gabrielle et la lui tendit.

— Merci, dit Leroux.

Blondeau commença une phrase entortillée pour expliquer qu'il n'avait jamais eu réellement l'intention d'exhiber la lettre, mais Leroux coupa court.

— Nous vous croyons, monsieur. Mais nous préférons l'avoir entre nos mains. Bonjour.

Après les présentations, je n'avais pas dit un mot. Blondeau ouvrit la porte. Leroux passa le premier. Je suivis. C'était terminé.

— Le truc du patron, c'est vrai ? demandais-je quand nous fûmes de nouveau dans la voiture.

— Penses-tu. C'est un mensonge pieux. Je n'ai jamais vu son patron de ma vie. Ce qui est vrai, par exemple, et il le sait bien, c'est que s'il perdait cette situation, il n'aurait plus qu'à crever de faim. C'est un type que tout le monde vomit, même ses semblables à sa feuille de chou. Tu as vu ? Ce courage ? Il a dû tout de suite penser que, s'il refusait d'obtempérer, nous nous mettrions à deux pour cogner dessus. A deux contre un, il n'aurait pas hésité, lui. Je te dépose chez Gabrielle ?

— Non. Chez moi, si tu veux.

Je voulais lire la lettre. Il me la remit avant que j'ouvre la portière. Je crus voir une lueur ironique dans ses yeux et je rougis. Il se mit à rire.

— Tout le monde en ferait autant, mon vieux.

Oui. Mais on préfère que personne ne le sache, de façon à pouvoir jurer qu'on en est incapable. Simple curiosité, me disais-je en montant l'escalier. J'avais quand même la gorge serrée en dépliant le papier. Je cherchai vite si elle le tutoyait, elle aussi. Mais les phrases étaient construites de telle façon qu'elle n'avait eu à employer ni le vous, ni le tu. « Je laisse au garçon de bar ce petit mot écrit à la hâte. Je ne peux plus accepter cette aimable invitation à dîner. Je le regrette. » Suivait quelques propos dont le sens m'échappait et qui devaient être des allusions compréhensibles d'eux seuls. Cela, me sembla-t-il, prouvait quand même une certaine intimité. Je n'étais, en somme, guère plus avancé. Je composai son numéro.

— Eh bien ! j'ai ta lettre. Tu veux que j'aille te la porter ?

— Non. Brûle-la. Mais fais-le tout de suite, veux-tu ? Après l'avoir lue, si tu y tiens.

— Je n'y tiens pas du tout, dis-je d'un joli ton détaché.

Je disposai le papier dans un cendrier et j'y mis le feu.

— Voilà. Elle brûle. Tu peux être tranquille : je te jure que je la regarde brûler.

— Mais je te crois. Cela a-t-il été difficile là-bas ?

— Pas le moins du monde. Très facile et très court. Tu comprends qu'il ne nous a pas fait perdre de temps par des démonstrations de courage.

La lettre, dans le cendrier, avait cette forme étrange, crispée, cette forme évocatrice de démons et de sorcières que prend le papier en achevant de brûler. Je la pulvérisai de quelques coups de crayon.

— Voilà. Ce n'est plus que de la cendre.

— Je te remercie, tu sais. Quand te verrai-je, chou ?

— Je ne sais pas, Gabrielle. Je ne sais pas.

Elle dit encore une fois merci et je reposai l'appareil sur son berceau. La nécessité d'agir m'avait, depuis le matin, servi d'excitant. Tout était réglé. Je retombais à plat. Avec mon crayon, je continuais à triturer la cendre. Je m'en rendais compte. C'était un geste idiot. Mais je ne pouvais pas m'arrêter. « Il faudrait que je parte, il faudrait que je parte », et je restais là à triturer cette cendre. Quand Barbara téléphona, je lui dis d'annuler mes rendez-vous : je ne retournerai pas au bureau aujourd'hui.

Vers une heure, je pris ma voiture et partis, sans but précis, vers la campagne. Je suivais mon nez. Je m'arrêtai, en route, pour prendre un sandwich et une tasse de café, aussi détestable l'un que l'autre. Cela me remit en mémoire les dînettes qu'autrefois nous faisions, dans mon bureau, Gabrielle et moi. J'essayai d'imaginer ce qu'auraient été nos deux vies si nous en étions restés là : un écrivain, un éditeur. Je m'aperçus que mes yeux s'étaient fermés et que j'avais failli m'endormir. J'étais moulu. La petite servante me regarda en riant.

— Vous êtes fatigué. Voulez-vous encore du café ?

— Oui. Mais pas de celui-là. Si vous vouliez m'en faire d'autre, je vous donnerais la recette de ma grand-mère.

Elle s'avança, les sourcils déjà froncés par l'attention. Elle était laide et maigrichonne. Telle quelle, je lui aurais fait la conversation jusqu'au soir.

— Ma grand-mère disait toujours : « Pour faire du café, il faut en mettre. »

— Je vois, dit-elle fort sérieusement.

Elle disparut dans l'arrière-boutique d'où je l'entendais chantonner, accompagnée de tintements et glouglous. Le sommeil me reprenait. Puis, elle revint portant une tasse de café bien noir.

— Vous êtes voyageur de commerce ?

— Oui, dis-je sans savoir pourquoi.

— Qu'est-ce que vous vendez ?

— Du savon.

— Vous avez des échantillons ?

— Je n'en ai plus. La prochaine fois.

Elle haussa les épaules. Elle devait savoir depuis longtemps, qu'avec les commis-voyageurs il n'y a pas de prochaine fois. Ni pour les échantillons, ni pour autre chose. Mais c'était le creux de l'après-midi et ces pauvres propos lui étaient peut-être aussi précieux qu'à moi. Elle regarda ma voiture par la fenêtre.

— Ça va bien les affaires.

— Ça va assez bien, oui.

— C'est vrai que vous êtes voyageur de commerce ?

— Non. Je suis éditeur.

Ses petits yeux devinrent tout ronds. Elle ne savait pas très bien en quoi cela consistait. Elle revint à son idée.

— C'est pour ça que vous n'avez pas d'échantillons.

— J'en ai un. Le voulez-vous ?

Pendant que je me rendais à la voiture, elle me regardait par la porte ouverte. J'avais, dans ma serviette, un exemplaire de l'édition de la pièce de Gabrielle. Elle aurait préféré une savonnette parfumée, sans doute. Reliure de luxe. Des perles aux pourceaux, quoi. Elle prit le livre, lut le titre, le nom de l'auteur.

— Gabrielle Lubin. Vous la connaissez ?

— Oh oui !

Elle me jeta un vif coup d'œil incrédule, puis se mit à lire, au hasard, en ânonnant : « Cet amour est une fraude. Il est né de vos mensonges. » Elle ricana un peu et rougit.

— C'est sur l'amour.

— Cela vous ennuie ?

— Non. Je vais le cacher.

Elle baissa les yeux en riant niaisement. Pour elle, l'amour c'était le péché, la honte. Je voyais tout cela sur ce visage ingrat et je n'étais pas éloigné de lui donner raison.

En sortant de là, je me dirigeai vers notre forêt. J'y étais souvent revenu seul, dans cette forêt qu'elle aimait. Jusqu'au jour où j'avais vu leur voiture vide, sur le bord de la petite route qui la traverse. J'y marchai tout le reste de l'après-midi.

Je n'étais pas triste. J'étais vide. La tête, le cœur, le corps. Vides. Creusés. Déserts. J'étais dans la situation d'un homme qui aurait, toute sa vie, combattu pour une cause, sa patrie ou sa foi, et qui apprendrait tout à trac que l'objet de ce fanatisme, cette profonde raison de vivre, ce pays ou cette religion, n'ont jamais existé. L'abandon, le malheur, le deuil, cela se pleure. Je n'avais même plus de sujet de larmes.

Voilà à quoi je pensais en foulant ce tapis d'aiguilles où je m'étais étendu près d'elle si souvent. Le pourtour de la clairière s'était rétréci. Quelques petits pins avaient maintenant hauteur d'épaule. Il n'y avait pas de loriot. Seul, un geai bleu, perché sur une branche que son poids agitait, offrait, tout ensemble, son plumage somptueux et son cri discordant. Je frappai dans mes mains pour le chasser. Je ne voulais pas accepter les deux.

J'entrai en ville vers cinq heures. Sur ma table, quatre ou cinq manuscrits m'attendaient depuis plusieurs jours. De plus en plus, j'apportais du travail chez moi. Comment aurais-je occupé, autrement, ces interminables soirées ? J'en attrapai un, au hasard, et me mis à le lire. Etait-ce tout ce que j'aurais à faire de mes loisirs, maintenant ? Lire des manuscrits jusqu'à la fin de mes jours ?

A cinq heures et demie, j'en avais déjà par-dessus la tête. Je téléphonai au bureau d'une agence de voyages. Cette idée d'aller à Paris me reprenait. Je ne demandai que de vagues informations à un employé qui insistait pour m'en donner de précises. Je raccrochai. J'avais été, un moment, sur le point de fixer la date de mon départ. Bah ! il serait toujours temps de prendre une décision. Mais je sentais que, faute de l'avoir prise, ce voyage ne se ferait pas. Pourtant, je n'aurais eu qu'à tendre le bras pour téléphoner de nouveau. Puis, je me souvins que la serrure d'un de mes sacs de voyage était faussée. J'allai le sortir du placard. Il faudrait faire réparer cela. Je pourrais l'y porter demain... et je le remis dans le placard. Rien n'allait.

Il s'écoula encore une semaine où je ne fis rien d'autre que manger, dormir, travailler. Mon projet d'aller à Paris émergeait, de temps à autre, et sombrait. Puis, j'allai passer cinq jours à New York et je revins si dégoûté des fatigues du voyage que je n'eus plus envie de bouger. J'étais devenu bien perméable à la lassitude. Je reçus de Castillo la réponse à une lettre, écrite plusieurs mois auparavant, où je lui disais que je voyais souvent Gabrielle. Il en avait conclu que tout était redevenu, entre nous, comme avant. J'en eus de l'irritation et lui répondis de façon peu aimable. Non, rien n'allait.

Un matin, Bullard vint voir Barbara. La porte entre les deux pièces était ouverte et ce fut en entendant leur conversation que je compris que Gabrielle l'avait chassé. L'événement semblait vieux de plusieurs jours, et c'était comme ça que je l'apprenais : trois mots qui ne m'étaient pas destinés, surpris par hasard. Un peu plus tôt, cette nouvelle m'eût bouleversé. Ce matin, je n'étais pas bouleversé. J'étais, cependant, vexé de l'apprendre de cette façon.

En partant, il passa devant la porte et me fit, de la main, un petit bonjour. Dès aujourd'hui, je chercherais une autre secrétaire et, s'il plaisait à Dieu, je ne reverrais Bullard de ma vie.

Sitôt Barbara partie pour déjeuner, je donnai un coup de fil à une jeune fille qui, l'année précédente, était venue m'offrir ses services. Elle avait déjà travaillé dans une maison d'édition ; son travail actuel lui déplaisait ; elle semblait intelligente. Bref, une fille de tout repos. Elle vint me voir vers six heures et tout s'arrangea sans peine. Elle commencerait dans deux semaines. Il ne me restait qu'à faire part de ma décision à Barbara, ce que je ferais avec plaisir.

« Si ». Voilà bien le mot le plus lourd. Il est, avec son aspect tournoyant et son sifflement, inquiétant comme un insecte de la jungle. Si j'avais. Si je n'avais pas. C'est le domaine des possibilités, vaste cave mystérieuse qu'ouvre cette étroite porte grinçante. On se sent l'instrument du destin. On se sent le destin lui-même. On a eu le choix et on a opté pour le geste fatal, celui qui lie, qui rejette, ou qui tue.

En laissant cette jeune fille, j'allai au cinéma pour effriter le temps, puis j'allai dîner, de sorte que j'entrai chez moi vers le milieu de la soirée. Un bout de papier avait été glissé sous ma porte. « Je suis venue t'apporter mon manuscrit et j'ai été bien déçue de ne pas te trouver. Téléphone-moi demain. » Demain. Encore un de ces mots.

Je ne lui donnai pas signe de vie le lendemain, non par mauvaise volonté, mais parce que ce fut une de ces journées où visiteurs et téléphoneurs semblent s'être entendus pour jouer un jeu qui pourrait s'appeler le jeu de l'interruption, où vous ne pouvez terminer une seule phrase, écrite ou parlée, paisiblement, où l'affolement s'intalle dès le matin et ne s'en va qu'à la fermeture avec la dernière dactylo. Barbara était sensationnelle, ces jours-là. Elle avait le don de préserver, autour d'elle, une zone de sérénité. Tant pis.

A cinq heures, le calme revint et j'entendis qu'elle mettait de l'ordre sur sa table. Je me sentais mauvaise conscience. C'était la première fois que je renvoyais un employé pour une raison qui n'avait rien à voir avec le travail. Mais il n'était plus temps de reculer. En engageant sa remplaçante, je m'étais coupé les ponts. Le vin était tiré.

— Barbara ?

Le menu bruit de ses hauts talons.

— Monsieur ?

Plongeons d'un coup. C'est encore le plus facile.

— A compter du mois prochain, je n'aurai plus besoin de vos services.

Elle ne s'y trompa pas.

— C'est à cause de Michel ?

Je n'eus pas à répondre. Bullard avait frappé à la porte du bureau de Barbara, pénétré dans la pièce sans attendre et, maintenant, ayant entendu son nom, il s'avançait vers nous. Il avait bu. Leurs propos devinrent, tout de suite, extrêmement violents. Le nom de Gabrielle fut vite prononcé, il va sans dire. J'avais peine à les suivre tant ils étaient volubiles. J'avais beau essayer de couper court, ils étaient enragés et ne tenaient aucun compte de mes tentatives. Au début, j'étais resté froid. Mais il y avait, dans leur fureur, une sorte de contagion qui finit par m'atteindre. Nous avions tous, depuis trop longtemps, des comptes à régler. Cela déferlait de partout, comme un flot sale. Un égout qui déborde.

Je tremblais qu'on en vînt à parler de Blondeau et je me figurais que crier plus fort qu'eux était un bon moyen de l'éviter. Quand je fus bien sûr qu'ils n'étaient pas au courant, je respirai et ma colère prit ses coudées franches. Cela dura encore quelques minutes. On échangea les dernières invectives et la porte s'ouvrant sur le corridor claqua sur eux. Une petite potiche de Sarreguemines tomba et se fracassa sur le parquet. J'entendis, un moment, la crépitation de leurs voix escortées du raclement rageur de leurs pieds sur le dallage. Ouf ! j'en avais donc fini avec l'épisode Bullard.

Je ramassai les plus gros morceaux de la potiche et les jetai au panier. En passant devant la fenêtre, je les aperçus qui montaient dans leur voiture. Bullard démarra comme un fou, sans regarder où il allait et faillit renverser un piéton. A ce train-là, il se ferait cueillir avant d'aller loin. Je pris ma gabardine, ma serviette, et quittai le bureau à mon tour.

En sortant, j'eus tout de suite conscience d'une sorte de brouhaha. Des gens couraient. Les voitures, par contre, étaient immobiles. Pourtant (le carrefour n'est pas éloigné), je voyais d'où j'étais que les feux étaient verts. Puis, une sirène, mince vrillement d'abord, s'enfla peu à peu, s'empara des autres bruits, les réduisit à rien. Je me mis, moi aussi, à courir.

Dans la rue transversale, je vis un énorme camion de déménageur arrêté sur la chaussée. La cabine du chauffeur était vide. Repoussée quelques pas plus loin, une voiture, une voiture verte que je connaissais bien, gisait. La tôle du capot était relevée et plissée comme un soufflet d'accordéon.

Je fendis la foule jusqu'à parvenir au premier rang. La portière gauche était enfoncée et n'avait pu être ouverte. Bullard était étendu à terre, sur une couverture déjà tachée de sang. Une sorte de gargouillis, de bruit mouillé, sortait de sa gorge, avec des temps morts, des reprises, des assourdissements, des boursouflures. Une des jambes était curieusement repliée comme celle d'un pantin dont les cordes ont été tirées par une main inexperte. Mon ennemi.

Puis, j'aperçus Barbara. Elle était salie, déchirée, un peu écorchée, mais elle marchait. Un agent lui parlait. Elle avait du sang sur elle. Un homme lui passa un mouchoir et elle se mit à s'essuyer. L'agent continuait de lui parler, mais elle ne répondait presque jamais. Comme je me faufilais derrière elle, elle se tourna vers l'homme au mouchoir.

— Suis-je blessée au visage ?

— Vous êtes très bien, madame. Vous êtes très bien.

Des gens se mirent à rire et l'homme, vexé, s'éloigna. L'agent se tourna vers le chauffeur du camion qui se massait l'épaule et ne décolérait pas.

— Il s'est jeté devant moi à toute vitesse, malgré les feux rouges. Qu'est-ce que vous voulez que je vous dise de plus.

Une femme s'approcha qui avait trouvé le sac à main de Barbara et le lui apportait. On entendit, à son tour, la sirène de l'ambulance qui arrivait. Je revins vers Bullard. Il n'avait pas repris connaissance, mais tout inconscient qu'il était, il pleurait à petits sanglots exténués. L'ambulance stoppa. Il se fit un remous sur le passage des brancardiers. Un agent cria : « Circulez, circulez. »

Barbara avait tiré une petite glace de son sac et regardait son visage.

Je revins difficilement sur mes pas. La foule stagnait, mal résignée à lâcher le spectacle. Un peu plus loin, il y avait ceux qui, au contraire, n'avaient encore rien vu et se bousculaient pour arriver avant que tout soit terminé. Leurs visages goulus passaient vite. Ils n'étaient que fantasmes, surimpressions, sur l'image de la face salie de sang où les larmes et la sueur avaient lavé un capricieux treillis.

Mon premier mouvement avait été de téléphoner à Gabrielle. Je comptais revenir à mon bureau pour le faire. Au moment d'y monter, une sorte d'ankylose me prit. « Elle est probablement déjà avertie. » Je savais bien que c'était impossible. Mieux valait aller chez elle. En m'y rendant, mes mains tremblaient sur le volant.

Il n'y avait pas de lumière à ses fenêtres. Elle était peut-être dans le noir. Je montai, un peu allégé par la presque certitude de ne pas la trouver. Je sonnai plusieurs fois. En vain.

Au tournant d'une rue, je l'aperçus qui marchait d'un pas inégal qui semblait ne pouvoir la mener nulle part. Je la suivis de loin. Je la suivis longtemps. Elle errait. A cette heure, Bullard était peut-être mort et c'était de cette amarre rompue que lui venait, sans savoir, ce vagabondage. Le temps passait et elle ne paraissait pas vouloir rebrousser chemin. Elle prit, enfin, une rue plus sombre où je la perdis. Quand je débouchai sur le boulevard, elle avait disparu. Mais cette flânerie, si longue soit-elle, finirait par le retour et la connaissance.

En arrivant chez moi, j'entendis de l'escalier mon téléphone qui sonnait obstinément. J'eus le temps de me rendre à ma porte, de chercher ma clef, d'ouvrir, et la sonnerie ne s'arrêtait pas.

— Madame Bullard est-elle chez vous ? Il s'agit d'un accident.

— Son mari ?

— Oui, son mari.

— Est-il mort ?

Je sentais, et je la sentais physiquement, une curiosité d'une acuité extraordinaire qui me faisait craquer les nerfs. Le temps de prononcer ma question et d'attendre la réponse me sembla démesuré.

— Non, il est blessé. Pouvez-vous nous aider à retrouver madame Bullard ?

Suivit un long questionnaire. Gabrielle avait-elle des amies ? Des parents ? Où avait-elle l'habitude d'aller, le soir ? Mes réponses semblaient si vagues à l'interrogateur qu'il finit par attirer sèchement mon attention sur l'importance qu'il y avait à retrouver Gabrielle. Eh ! je le comprenais bien. Mais que pouvais-je lui dire de plus ? Que pendant dix ans, nous n'avions vécu que l'un pour l'autre ? Qu'ensuite il y avait eu cet homme qu'elle avait chassé à la rue pour qu'il y rencontre la mort ? Qu'elle avait dîné, un soir ou deux, avec un vulgaire ruffian dont il m'avait fallu la défendre ? Que, si une douzaine de femmes mettaient son nom en tête de leurs listes d'invitations, aucune n'était son amie ? Qu'elle n'avait personne chez qui aller et que, tout comme moi, c'était vers l'errance et la fausse route que la jetait l'ennui ou la solitude ?

— Je vais essayer de la retrouver.

Je repartis. Il n'y avait pas encore de lumière à ses fenêtres. Je sillonnai son quartier. Je revins vers ce boulevard où je l'avais perdue. Comme je revenais chez elle, je la vis qui entrait. Je la rejoignis dans l'escalier.

— J'ai attendu ton appel toute la journée, me dit-elle.

Ce disant, elle montrait son manuscrit. Je n'avais pas remarqué en la suivant, tout à l'heure, qu'elle le portait sous le bras.

— Je suis allée chez toi, ce soir encore. Mais tu n'es jamais là. Mon travail ne t'intéresse plus ?

Je l'écoutais comme, dans un cauchemar, on écoute, venant on ne sait d'où, des voix qui tiennent des propos insensés. Je la voyais toute occupée de ce manuscrit qu'elle serrait sur elle et je ne savais comment l'amener à l'objet de ma démarche. Nous étions, maintenant, dans l'antichambre. Le téléphone pouvait sonner d'une seconde à l'autre et ce qu'on aurait à lui apprendre ne serait peut-être plus la même chose. Je tendis la main.

— Donne-le-moi. Je vais t'expliquer. J'ai été très occupé.

— Moi aussi, je suis très occupée. Je pars.

— Mais tu ne peux pas faire ça.

— Oh ! si, je peux. Je pars demain. Je m'en vais à la campagne.

Elle se mit à me parler du repos qu'elle cherchait, d'une auberge. Ce téléphone allait sûrement sonner.

— Le rêve, ce serait une auberge déserte, tenue par des gens parlant une langue qui m'est inconnue, le hongrois ou le turc. Tu as ça dans ton carnet d'adresses ?

Elle riait. Depuis que je tenais dans mes mains son gros cahier cartonné qu'elle avait emporté deux soirs de suite sans pouvoir s'en défaire, elle avait perdu son air morne.

— Tu sais, j'ai renvoyé Barbara.

— Ah ? Viens donc avec moi dans ma chambre : je n'ai pas terminé mes préparatifs.

Je la suivis. Elle se mit à plier des tricots.

— Tu comprends, je ne vais pas là pour exhiber des robes du soir. Qu'est-ce que tu as ? C'est d'avoir renvoyé Barbara qui te met dans cet état ?

— Ecoute. Bullard a eu un petit accident de voiture.

— Ça devait arriver. Il boit trop. Rien de grave ? Tu sais que je l'ai mis à la porte.

Et le téléphone sonna.

Tout le temps que dura la communication, elle garda un visage impassible. Elle disait « oui, oui », sans plus. Elle regardait dans ma direction. Je fis, sans qu'elle me réponde, un geste interrogatif, et je me rendis compte que ce qu'elle regardait c'était, derrière moi, son image dans la glace. Ce n'était pas, comme Barbara, sa beauté intacte qu'elle y cherchait. Je pense que c'était le reflet rassurant de ce visage sans pâleur. Bullard pouvait râler, sangloter, mourir, ce fait sans importance venait se brouiller et se dissoudre sur le tain des miroirs. Elle ne me regarda qu'en répétant le nom de la rue où l'accident avait eu lieu. Puis, ses yeux m'outrepassèrent de nouveau, à la rencontre de leurs calmes jumeaux.

— Bon. J'y vais tout de suite.

La main sur l'appareil, elle restait immobile. Derrière notre zone de silence, on entendait une voix irritée qui répandait une cascade de mots.

— Ils sont ennuyeux tes voisins. Ils se disputent tout le temps.

— Tu sais, j'aurais mauvaise grâce à leur faire des reproches.

— Veux-tu que je te conduise à la clinique ?

— Tu es gentil. Dis donc, c'est arrivé bien près de ton bureau, cet accident. On m'a dit vers cinq heures.

et demie. Il avait été chercher Barbara, je suppose ?

— Oui, et il est parti en colère parce que je l'avais renvoyée. Il avait un peu bu, tu sais.

Elle me mit les mains aux épaules.

— Tu ne vas pas te croire responsable, dis ? Et elle ? Est-elle blessée ?

— Très peu. Mais Bullard l'est beaucoup plus gravement. T'a-t-on dit quelque chose à ce sujet ?

— Non. Nous verrons cela là-bas.

Je l'aidai à passer un manteau. Au moment de sortir, elle avisa le manuscrit que j'avais posé sur une table avant de la suivre dans sa chambre. Sans un mot, elle le prit et me le remit dans les mains.

Dans la voiture, pendant que nous roulions par les rues désertes, elle me demanda de lui raconter ce qui s'était passé à mon bureau. A chaque réverbère, son visage surgissait de l'ombre, attentif, pour s'y renfermer de nouveau. C'était, à chacun, comme un bref aveu. Un aveu complexe que je n'avais jamais le temps de démêler tout à fait. Sur un fond de sérénité qui me semblait voulue, des ondes de cruauté ou de désespoir naissaient, s'amplifiaient au moment le plus vif de l'éclairage, puis se résorbaient.

Je racontai, d'abord, comment j'avais décidé le renvoi de Barbara, la journée qui avait suivi, l'arrivée de Bullard, les invectives échangées.

— Ont-ils parlé de Blondeau ?

Cette préoccupation, que j'avais eue pourtant, me déplut. Il y a quelque chose d'inhumain dans l'inutile rappel d'une folie.

— Non. Et je préférerais que tu n'en parles pas non plus.

— Pourquoi ?

— Parce que cela m'humilie.

Elle eut un rire sec.

— Tu aurais été attendrissant dans une carrière politique.

— Aussi m'en suis-je tenu éloigné. Mais je n'ai pas terminé mon récit.

Je lui racontai ce que j'avais vu de l'accident. Elle écoutait sans m'interrompre. Entre les réverbères, j'aurais pu croire que je parlais pour moi seul. Puis, je lui dis que je l'avais longtemps suivie dans la rue.

— Comprends-moi. Je ne savais pas comment t'annoncer ça.

— C'est ce que tu crois. Mais j'ai une meilleure explication.

Nous arrivions devant la clinique. Je stoppai brutalement. Un peu de sueur me vint au creux des mains.

— Laquelle ?

— Celle-ci : à chaque minute qui passait, la probabilité que je le revoie vivant diminuait. Veux-tu m'attendre ? Je ne serai pas longue à revenir.

Elle sauta hors de la voiture et l'ombre la happa aussitôt. Qu'y avait-il de vrai dans cette assertion ? J'avais beau m'assécher les mains, elles redevenaient tout de suite moites.

— Romancière ! Si elle arrive trop tard, ne va-t-elle pas m'en accuser à présent ? Disons tout de suite que c'est moi qui ai tué Bullard. Bon Dieu ! je ne suis tout de même pas un assassin.

J'avais parlé haut, mais l'endroit était désert et je pouvais m'offrir cette thérapeutique. Informulées mes pensées s'évadaient, tournaient en rond et se désagrégeaient. Cet accident, Bullard seul en était responsable. Je n'étais coupable en rien. Mais j'y étais bien pour quelque chose. Je n'étais coupable en rien mais, sans moi, Bullard ne serait pas mourant derrière ces murs. Je sentis poindre, au plus profond de moi, un sentiment extraordinaire, tel que je n'en avais jamais ressenti. Quelque chose d'aigu et de fuyant comme la volupté, mais lucide. Et pourtant, songeais-je, cela devrait m'être indifférent, je n'aime plus Gabrielle. Puis, je pensai qu'au contraire c'était une raison de plus de n'être pas indifférent. Pourquoi aurais-je cessé d'en vouloir à Bullard ? Parce que, après m'avoir enlevé la femme que j'aimais, il était aussi la cause, immédiate ou éloignée, de tout ce qui avait contribué à détruire mon amour ? Il y avait plutôt aggravation.

La portière s'ouvrit brusquement et Gabrielle monta près de moi.

— Fracture du crâne. Il est dans le coma.

— Tu ne restes pas ?

— Que veux-tu que je fasse là ? Il paraît que cela peut durer plusieurs jours. Il faut que j'aille terminer mes malles.

— Tu pars quand même ?

— Oui, je pars quand même, dit-elle d'une voix coléreuse. Crois-tu que je vais rester dans le corridor de cet hôpital à attendre que ce monsieur se décide à rester ou à partir ? Mon séjour là-bas est tout arrangé, depuis des jours. Je ne renoncerai à rien. Je ne renoncerai plus jamais à rien.

— Et s'il meurt ? Il faudra t'avertir.

— J'ai donné ton numéro de téléphone en disant que c'était la façon la plus facile de me rejoindre.

Je mis en marche. Dieu sait que le sort de Bullard ne m'inspirait aucune pitié. Mais la décision de Gabrielle me laissait pantois. Je ne suis qu'un bourgeois hypocrite, pensais-je, mais je ne pouvais m'empêcher d'être scandalisé. Elle n'en avait cure. La bouche grossie par une moue courroucée, elle restait silencieuse.

— Monte avec moi. Je vais te donner le numéro de téléphone de l'auberge.

Elle poussa un sac de voyage pour que je puisse m'asseoir sur le lit, écrivit sur une carte le nom et le numéro de l'hôtel. Sa main, en me la donnant, tremblait très fort.

— Pourquoi m'as-tu dit que je voulais que tu arrives trop tard ? Il est encore vivant et tu n'es pas restée une demi-heure.

— Tu prends tout pour des reproches. Je crois que c'est la vérité. Mais je ne t'ai rien reproché.

Elle retourna à ses préparatifs tout en parlant de son séjour à la campagne. Quand les vêtements épars furent rangés, elle tourna les yeux vers la penderie ouverte, franchit, très vite, la distance qui l'en séparait et y saisit une robe noire qu'elle plia et déposa avec le reste. De ma vie, je n'avais assisté à rien de semblable. Je me sentais flotter sur une sorte de brume, comme dans une hallucination. Je me levai pour aller regarder la nuit par la fenêtre.

Le bruit d'un corps qui s'écroule, suivi de violents sanglots, me fit sursauter. Gabrielle était assise sur le parquet. La tête enfouie dans ses bras, elle pleurait, appuyée sur le lit.

C'était la première fois que je la voyais pleurer de vraies larmes qu'elle n'essayait pas de retenir. Je tentai de la relever, de la prendre dans mes bras, mais elle balbutiait « laisse-moi, laisse-moi » et se faisait lourde et inerte, de sorte que je n'y parvenais pas. Elle pleura longtemps. Du moins, cela me sembla interminable. Je ne disais rien : j'étais stupéfié. Enfin, elle se calma peu à peu et vint s'asseoir près de moi sur le lit.

— Ma pauvre Gabrielle, tu n'en peux plus. Et puis, tu t'es fait mal à feindre l'indifférence. Reste donc, va.

Elle leva un visage que les larmes avaient rendu indéchiffrable et me regarda longtemps.

— Je cherche mes mots, dit-elle enfin. Ce n'est pas ce que tu crois. Je n'ai pas feint l'indifférence. Je n'ai pas envie de rester. C'est la première fois que je pleure depuis... (et elle indiqua, de la main, la hauteur d'une fillette), et c'est sur moi que je pleure. L'affaire Bullard, l'affaire Blondeau, et tous les autres, rien n'est propre, rien n'est viable, rien ne dure. Je me sens poussée, bousculée. Ce n'est pas juste. Plus je vais, et plus les pages tournent vite. Quand j'ai commencé à écrire, je croyais qu'avec cela je me moquerais bien de vieillir. Ce n'est pas vrai. Tout m'échappe. Regarde-moi.

Elle avançait, avec une sorte de défi, un visage rouge et vernissé où les larmes avaient recommencé à couler. Plein d'étonnement, je contemplais cette femme qui s'était refusé vaillamment les pleurs arrachés par l'amour, au temps où Bullard la torturait et qui, cette nuit, sanglotait sur son propre destin.

— Tu sais, j'ai pensé à me tuer. J'y ai beaucoup pensé. Je me disais que, sitôt ce roman terminé, je me tuerais.

Je ne pus m'empêcher de sourire. C'était toujours « travail d'abord ».

— Ça me fait peur. Moi qui ai poussé tant de gens au suicide, dans mes livres, le cœur me tourne rien qu'à imaginer le revolver sur ma tempe.

Elle essayait de rire et ne parvenait qu'à grimacer. Elle était un peu pénible à regarder.

— Ce serait pourtant une solution. Tu sais pourquoi cela a tourné ainsi. C'est que j'ai confondu l'amour et la peur de vieillir. J'ai pris peur, comme n'importe quelle sotte.

Elle se leva et s'approcha de la glace.

— Si tu n'avais pas tant pleuré, tu verrais que tu es encore très jeune.

— Je le sais. Mais je suis fatiguée de lutter. Retarder une ride de six mois, ça ne vaut plus le coup. Je ne veux plus d'hommes dans ma vie pour qui je me battrai contre l'âge. Dans un an, je serai peut-être comme ces femmes qui ont remplacé l'amour par la nourriture. Sur quoi écrit-on quand on en est là ?

Ayant mis le doigt, après ces propos qui n'étaient incohérents qu'en apparence, sur son souci capital, elle se tut. Puis, elle me prit par la main.

— Allons, viens prendre un verre avec moi.

Je la suivis à la cuisine. Entre ses mains agitées, les verres et les bouteilles tintaient. Elle avala d'un trait un grand verre d'eau.

— J'ai trop soif, je boirais trop vite. Pourquoi ne viendrais-tu pas me voir, un dimanche, à la campagne ? Tu pourrais amener Corinne, si tu veux.

Elle continua à parler sur ce ton tout le temps que dura l'alcool dans nos verres. La nuit s'achevait. Il me fallait partir.

— Qu'as-tu fait de mon manuscrit ?

— Il est dans la voiture. Je commencerai à le lire dès demain. A moins... écoute, Bullard va peut-être mourir. Il n'y a rien que tu veuilles retrancher ?

— Non.

Je la pris dans mes bras. Ce faisant, je songeais que j'aurais pu forcer à l'abandon ce corps dont je connaissais toutes les ressources. Mais, cet abandon, je n'aurais su qu'en faire. Si je l'avais enlacée, c'est qu'elle me faisait pitié, que j'étais triste, que la nuit avait été dramatique. Je laissai retomber mes bras.

— Au revoir, Gabrielle.

— Au revoir, répondit-elle, avec ce visage en désordre, vaillant et désespéré, tiraillé par la montée des larmes et la volonté de les refouler, ce visage qu'une fois déjà je lui avais vu sur un chemin de son village.

Elle ouvrit la porte et, comme je passais le seuil, je sentis sa main sur mon dos qui me poussait un peu.

Il ne me restait plus, pour atteindre à l'état où je suis, pour franchir ce dernier palier, qu'à lire ce roman qu'elle m'avait laissé.

Je n'en commençai pas la lecture dès le lendemain, comme je le lui avais promis. Naturellement, Barbara n'était pas revenue et je fus deux semaines sans secrétaire. Puis, il fallut initier la nouvelle. Quand les journées finissaient, j'étais épuisé. Il se passa un mois sans que je puisse m'y mettre.

Cela commença dès les premières pages. Au fur et à mesure que j'avançais, je me sentais m'enrober dans une sorte de croûte grise et isolante. L'écrivain est un monstre. Peu lui importe où il prend sa pâture, même si cette pâture est votre dernier brin d'herbe. Rien ne l'avait retenue d'expliquer comment notre vieil amour avait cédé le pas au nouveau, les bouleversements inconnus qu'elle y avait rencontrés, l'abîme du plaisir et le secret mépris où elle tenait celui qui le lui dispensait. Elle avait écrit ce livre comme si j'avais été mort.

Je fis comme j'avais toujours fait. Je débusquai les petites bêtes, ainsi qu'elle le disait, et j'envoyai le manuscrit à l'imprimerie.

Bullard mit du temps à mourir. Un moment on put croire qu'il resterait toujours ainsi, inanimé au creux d'un lit, objet qui garde un peu de tiédeur d'avoir été longtemps près d'une source de chaleur. Tous les jours, j'avais fait prendre de ses nouvelles « de la part de Mme Bullard ». Quand cela arriva, je la fis avertir par ma nouvelle secrétaire.

J'allai aux funérailles où je ne la vis que de loin. Les Bullard, cette famille qu'elle avait d'abord courtisée puis exécrée, étaient au complet. Au cimetière, ils firent bande à part, pleurant bruyamment, tandis que Gabrielle, portant un deuil modéré, un de ces deuils improvisés que l'on quittera en rentrant chez soi, semblait n'être en rien concernée par ce qui se passait. Quand, après les prières de l'inhumation, on descendit le cercueil et que toute la tribu se précipita, poussée par le besoin oiseux de regarder cette boîte de bois jusqu'à la dernière seconde, elle resta immobile. Un moment, nos regards se croisèrent et elle me sourit. Puis, je m'en allai.

Les placards sont partis et sont revenus corrigés. Les épreuves aussi. Tout cela se fait lentement. Quand arrivera le bon à tirer, le livre pourra enfin paraître.

Parfois, le soir, je passe devant sa maison. Les fenêtres sont toujours noires. Il semble qu'elle ne bouge pas de son auberge de campagne. Il m'arrive de penser qu'elle ne reviendra peut-être jamais. Tout est dit. Je peux écrire « Fin ».

Ce mot « Fin », quand je l'ai écrit, j'y croyais. On s'imagine que tout est dit. Je me l'imaginais encore en décachetant sa lettre, un matin.

Je reviens. J'en ai assez de la campagne. Je serai là samedi, à la fin de l'après-midi. Il y a mon livre qui va paraître. Il y a toi que je n'ai pas vu depuis si longtemps. Ici, je ne travaille pas bien. L'auberge est envahie à la fin de chaque semaine, ce qui est insupportable, et le reste du temps il n'y a plus que moi, ce qui est pis encore. On a rarement besoin d'autant de solitude qu'on le croyait. Je ne me suis plus d'agréable compagnie et je pense que ma dernière auberge n'est pas ici. Je voudrais retourner écrire près de toi. Parce que tu me manques. Parce qu'avec toi, il n'y a ni combat, ni victoire, ni défaite. Je n'aime plus ce vocabulaire guerrier de l'amour. Toi seul peux me redonner la paix. C'est peu ? Un seul bien, mais authentique, c'est assez. Les voyages sont finis. Après ce long périple, je voudrais revenir à l'attache. Tu vas penser « elle n'a plus que moi » et tu vas triompher. Tu peux. C'est vrai que je n'ai plus que toi.

Pour répondre, je n'ai pas eu besoin de longtemps réfléchir.

Il ne s'agit pas de triompher, Gabrielle. Il s'agit d'évaluer ce qui nous reste, de faire l'inventaire de nos biens, de s'agripper au peu qu'il y a et de refermer les bras. Faisons comme toi, quand tu étais pauvre, en ne laissant rien se perdre. Voici un peu de paix, des travaux qui se rejoignent, une grande habitude l'un de l'autre, un remède à l'esseulement, de l'indulgence, de la fraternité. Ajoutons-y la possibilité de retrouver, peut-être, un peu de goût l'un pour l'autre et la volonté de fermer les yeux si cela se trouve ailleurs. Mais oui, reviens, Gabrielle. Pourquoi pas ? Cet exil ne rime à rien. Toi comme moi savons bien que nous ne sortirons jamais de ce cercle où nous avons été enfermés. Que tout autre complice nous est interdit et que, faute de vivre ensemble, nous vivrons seuls. Je n'ai à t'offrir ni fièvre, ni aveuglement, ni frénésie. Il ne me reste qu'apaisement. N'est-ce pas ce que tu me demandes ? J'y ajoute le reste de ma vie et le mariage, si tu veux. C'est un mince holocauste, je sais. Mais c'est de t'avoir fait tous les autres que m'est venu cette indigence. Reviens travailler près de moi. J'irai t'attendre chez toi, puisque tu ne m'as jamais redemandé ta clef. Puis, nous irons dîner ensemble. Dimanche, s'il fait beau, nous nous promènerons en forêt, et dès lundi, il faudra s'occuper de ton livre qui va paraître. Je triomphe bien un peu, tu sais, parce que, tout compte fait, je préfère que tu n'aies que moi.

Et voilà. On croit que tout est dit, que tout est ensablé, que pas même un mirage n'apportera de verdure sur son désert. Un point d'eau qui sourd péniblement des profondeurs, suscite une brindille. Les oasis ne naissent pas autrement.

Ottawa - octobre 1958 - janvier 1960.

Achevé d'imprimer à Montréal
sur les presses
de l'Imprimerie Saint-Joseph
le douzième jour de décembre
de l'an mil neuf cent soixante-sept
pour le Cercle du Livre de France

D-7296